이토록 다정한 독서모임

채소사총사의 책수다

이토록
다정한
독서모임

채소사총사의 책수다

좋은 책과 좋은 사람만 있으면 충분합니다

추천사

〈이토록 다정한 독서모임(채소사총사 책 수다)〉는 책에 대한 깊은 성찰이 담겨있으면서도 유쾌하기까지 해요. 성찰과 유쾌함, 두 마리 토끼를 다 잡은 흔치 않은 책입니다. 책에 등장하는 채소사총사의 대화를 통해 나도 책을 읽고 그 대화에 끼어들고 싶다는 욕구가 일어날 거예요. 그저 즐겁게 읽을 뿐인데 그 과정에서 삶과 자신에 대한 깊은 질문과 사색을 유도하는 기묘한 책! 독자들에게 채소사총사의 독창적이고 따뜻한 세계로 안내하며, 독서를 통해 더 풍요로운 삶을 경험하도록 이끌어 줄 가이드가 될 거예요. 함께 수다 떨어보고, 독서의 매력에 꼭 빠져보시길!

– 〈진짜 행복을 찾고 싶은 너에게〉 저자, 북튜버 〈유튜북〉 **변진서**

좋은 대화를 나누지 못하면 사람이 외로워진다. 내가 생각하는 좋은 대화란 좋은 것에 대해 공들여 말하는 것이다. 아무리 좋은 것을 경험해도 감탄사 몇 개로 '퉁' 치듯 넘어가 버리면 결국엔 아무것도 남지 않게 되니까. 좋은 사람들과 좋은 시간을 보낸 듯한 만족감이 드는 책이다. 이토록 다정한 모임에 초대된다는 건 얼마나 큰 행운인가.

– 〈작은 기쁨 채집 생활〉 저자, 트렌드 미디어 '캐릿' 에디터 **김혜원**

추천사

여기 책을 좋아하는 채소사총사가 있습니다. 가지, 토마토, 브로콜리, 당근은 저마다의 좋아하는 책에 관해 이야기를 하며 독서의 즐거움을 새롭게 일깨워줍니다. 책을 통해 삶을 배우고 그냥 책이 좋아서 사람이 좋아서 독서모임을 만듭니다. 그들이 고전을 읽으면 읽기 어려운 고전 독서가 즐거워집니다. 추천해 주는 50여 권의 책 리뷰는 당신의 독서력을 레벨업 시켜줄 것입니다. 독서가 어려웠던 초보 독서가 뿐 아니라 독서를 사랑하는 모든 이들에게 이 책을 추천합니다. 채소사총사는 여러분의 독서 여정에 새로운 활력을 불어넣어 줄 것입니다.

- 〈라이프 위너〉 저자 **해원칭**

책 한 권을 읽으면, 그 한 권의 책이 나의 것이 되지만, 그 책으로 독서모임을 하면, 참여한 사람 수만큼 책 내용에 대한 사유가 깊어집니다. 이것이 독서모임의 매력이지요. 이 책은 채소 캐릭터를 가진 네 명이 자유롭고 유쾌하지만, 깊이 있는 책 수다를 나누는 매우 다정한 독서모임을 소개하고 있어요. 마치 연극 대본처럼 네 명의 참여자가 나누는 이야기를 수록해 놓은 이 책은, 읽는 것만으로도 독서모임에 참여한 것 같은 착각이 들 정도입니다. 게다가 훌륭한 책 선정과 책에 대한 리뷰, 다양한 독서모임의 소개까지 담고 있어서 책과 독서모임에 관심 있는 분들에게 꼭 추천하고 싶은 책입니다.

- 〈퇴직, 그 다음 페이지〉 저자 **북스타장**

추천사

독서가 자신만의 별자리를 만드는 일이라면 독서모임은 함께 우주를 만드는 일이다. 여러 개의 별이 모여 은하수를 이루듯, 서로 다른 별들이 만나 더욱 깊고 넓은 우주를 만들어간다. 이제 당신의 별도 함께 찬란하게 빛나보자. 이들처럼.

－〈초보 운전, 서툴지만 나아지고 있어〉 저자, 리더인컴퍼니 대표 **리더인**

책은 소통이다. 책은 사색이며 다른 사람의 사색과 내 사색이 만나는 접점이다. 어떤 사색과는 교감을 하기도 하고, 어떤 사색과는 결투하기도 한다. 이 사색과 사색의 만남 끝에 우리는 친구가 된다. 여기 채소들이 있다. 토마토, 가지, 브로콜리, 당근. 이 채소들은 책으로, 사색으로 만나 벗이 된다. 다정함으로 무장한 이들의 사색의 만남을 조용한 걸음으로 뒤따라 걸어보자.

－〈먼저 퇴사해보겠습니다〉 저자 **도른자**

늦은 시간이어도 참석하려는 브로콜리님, 그런 브로콜리님을 배려해 주시는 가지, 당근, 토마토님. 이분들이 누구신지 정확히 딱 모르겠으나 하나는 알겠다. 책에 진심이며 서로가 잘 되길 바라는 분들이라는 것. 〈이토록 다정한 독서모임〉을 읽고 나도 내가 운영하는 독서모임을 다시 돌아보게 되었다. 나는 내 멤버들에게 이렇게 다정한 사람이 맞던가? 다정하면서도 따뜻한 독서 이야기를 듣고 에너지를 받고 싶다면 꼭 읽어봐야 할 책!

－ 올바른 맞벌이 연구소 대표 **바로세인**

들어가며

책을 사랑하는 네 명이 모여 채소사총사가 되었습니다. 채소사총사는 한없이 가벼운 책수다 모임을 시작하게 되었습니다. <이토록 다정한 독서 모임>은 채소사총사들의 책수다 이야기를 담았습니다. 친구들과 수다를 나누는데, 테이블 위에 책이 놓여있는 상상을 하며, 유쾌하고 여운이 남는 책수다를 함께해 보세요.

<이토록 다정한 독서모임>을 알차게 즐길 수 있는 방법은 다음과 같습니다.

1. 채소사총사는 토마토, 당근, 브로콜리, 가지입니다. 책 속 힌트들을 보고, 채소사총사가 각각 누구인지 맞혀보세요.

2. 책 속에는 나의 삶을 돌아볼 수 있는 진지한 질문과 그것에 대한 채소사총사의 생각이 담겨있습니다. 제시된 질문에 답해보며, 채소사총사와 함께 대화해 보세요.

3. 선정 도서 이외에 50여 권의 책들과 다양한 독서 모임들이 소개되어 있습니다. 다채로운 책과 독서 활동 이야기들로 책을 읽는 재미를 더해보세요.

4. 채소사총사는 농담을 좋아합니다. 채소사총사와 농담을 주고받으며 더 즐겁게 책수다를 즐겨주세요.

책은 삶을 변화시킵니다. 책은 사람을 변화시킵니다. 책은 세상을 변화시킵니다. 채소사총사가 전하는 책이 주는 변화, 지금부터 시작하겠습니다.

CONTENT

CONTENT

CONTENT

CONTENT

완벽한오늘(김지숙)

질문력 ★★★★★★★

기록력 ★★★★★

유머력 ★★★★

　14년 차 직업상담사, 강사로 진로, 취업, 퍼스널브
랜딩, MBTI 등의 분야에서 활동 중이다. 북스타그램
(책을 주제로 하는 인스타그램 계정)과 도서 블로그를 운영
중이며, 〈완벽한 오늘〉이라는 상담하는 동네 책방과
꿈을 이루는 독립출판사를 준비 중이다. 광주 자기
계발 독서 커뮤니티 〈광주즈〉, 네이버카페, 유튜브,
팟빵 라디오 〈광주즈〉 채널을 운영 중이다. 글, 상담,
책으로 사람들의 완벽한 오늘을 응원하고 있다. 저서
로는 〈나를 더 사랑하게 하는 퍼스널브랜딩 상담〉이
있다.

인스타그램 @jsstory_today
블로그 blog.naver.com/qkddf
브런치 @완벽한오늘
이메일 qkddf@naver.com

데이지(권나리)

공감력 ★★★★★★★
전달력 ★★★★
진지력 ★★★★★

　직장생활 10년 차, 더 이상 타인만을 위해 살고 싶지 않아 퇴사했다. 이후 주체적이고 나다운 삶을 위해 독서를 시작했다. 독서 기록용으로 시작한 〈데이지〉 북스타그램은 현재 상처받지 않는 인간관계에 대한 정보와 경험을 공유하는 채널로 운영 중이다. 타인에게 맞추기 위해 눈치만 보고 나를 표현하지 못했던 삶에서 나를 잃지 않고, 상처 주지 않으며 좋은 인간관계를 지속할 방법을 고민하고 있다. 타인과 나 사이의 균형을 잡을 수 있는 메시지를 전하며 많은 사람에게 위로와 용기를 줄 수 있는 책을 집필 중이다.

인스타그램 @vigesco_daisy
블로그 blog.naver.com/challenge_mari
이메일 knl312@naver.com

미너프(이아름)

호응력 ★★★★★
정보력 ★★★★★★★
대처력 ★★★★★

대형 병원 간호사로 일하다 어릴 적 꿈을 잊지 못해 퇴사했다. 이직 대신 선물 같은 아이가 찾아왔고 그녀의 인생에 존재하지 않을 것 같던 경단녀가 되었다. 집에서 육아만 하다가는 죽을 것 같아서 책을 읽기 시작했고 그렇게 새로운 세상을 만났다. 많은 육아맘들에게 긍정적인 영향을 주고 있으며 책을 쓰고, 모임을 만들고, 강의하며 꿈을 향해 나아가고 있다. 저서로는 〈어쩌면 당신의 이야기〉, 〈계절의 한 컷〉이 있다.

인스타그램 @m_e.nough
브런치 미너프 @m-enough
이메일 lili8888@naver.com

노란코끼리(서훈석)

창의력 ★★★★★★★
지식력 ★★★★★
유머력 ★★★★★★

코끼리처럼 다정하고 든든한 사람이 되고자 하는 마음과 눈에도 잘 띄었으면 해서 노란코끼리를 필명으로 정했다. 북스타그램을 운영 중이다. 영어 강사와 공무원 중 진로를 고민하다가 글쓰기가 좋아 작가의 삶을 살기로 했다. 소설을 좋아해서 소설 위주로 읽는 편이다. 외국어를 좋아해 번역가도 꿈꾸고 있으며 궁극적으로는 독자가 위로받는 소설을 쓰는 소설가가 되는 것이 꿈이다. 저서로는 〈가까이하면 비로소 보이는 것들〉이 있다.

인스타그램 @yellow_koggiri_book
블로그 blog.naver.com/polae5
이메일 polae5@naver.com

이토록 다정한 독서모임
채소사총사의 책수다

PART 1
우리 책수다
시작해 볼까요?

Part 1. 우리 책수다 시작해 볼까요?

1. 책태기 처방전은 책수다라는 토마토

북스타그램[1]을 시작한 지 4개월쯤 되었을 때 책태기[2], 인태기[3]라는 인친[4]님의 글을 봤습니다. '항상 좋은 책을 추천해 주고, 잔잔하고 선한 생각을 전해주던 참 좋아하는 분인데…. 계속 함께하고 싶은데….' 하고 생각했습니다. 문득 이분을 붙잡아야겠다고 생각했습니다. 이분이 책과 글쓰기를 놓지 않았으면 하는 마음이 들었습니다. 책과 글쓰기는 나라는 사람을 뿌리내리게 하는 좋은 도구임을 알기에 지금 당장은 그것들을 쉬더라도 느슨하게나마 붙잡고 있었으면 하는 마음이 들었습니다. '좋은 사람들과 가볍게 이야기를 나누다 보면 자연스럽게 다시 책 곁에 머물러 있지 않을까?' 하는 문득 솟아난 오지랖이 어느새 머릿속을 지배했습니다. 그리고 이 생각을 기폭제로 저 또한 좋은 사람들과 가볍게 책에 관해 이야기하고 싶다는 욕구가 샘솟기 시작했습니다. 그리고 처음으로 인친님께 메시지를 보냈습니다.

---

1)북스타그램 : 책을 주제로 하는 인스타그램 계정
2)책태기 : 책에 대한 권태기
3)인태기 : 인스타그램 권태기
4)인친 : 인스타그램 친구

"혹시 책수다 모임 하실래요? 책을 읽고 나서 기분이 더 좋아지는 대화를 하는 거예요. 정해진 것은 아무것도 없고요. 마음이 맞을 것 같은 4명만 모이면, 구체적으로 생각해 보려고요. 무거운 다짐이나 목적도 없이 가벼운 마음으로 그저 좋아서 하는 모임을 하고 싶어요."

친하지도 않고 온라인에서 댓글만 주고받던 분께 너무 무작정 들이댄 것은 아닌지 잠시 후회를 하던 중에 답장이 왔습니다.

"좋아요. 한번 해 봐요."

그렇게 함께하고 싶은 좋은 사람들에게 메시지를 보냈고 드디어 우리 무적의 채소사총사가 되었습니다. 가지, 당근, 토마토, 브로콜리.

독서 모임은 보통 모임 일시와 주제, 방법 등을 정해두고 함께 할 사람을 모집하는 경우가 많습니다. 하지만 우리 모임에서 가장 중요한 것은 채소사총사가 함께하는 것이었습니다. 좋은 사람들과 책을 읽고 이야기하자는 것 외에 시간과 방식은 어떻게 해도 상관없었습니다. 우리는 단체 채팅방에 모여 함께 모임 시간, 방법, 선정 도서를 정하고, 모임 전까지 정해진 책을 읽는 것 외에는 아무것도 준비하지 않기로 했습니다. 그렇게 우리 채소사총사의 책수다는 시작되었습니다.

■ 매주 수요일 저녁 9시
■ 준비 없이, 그저 좋아서 하는 모임

2. 새로운 사람과의 만남을 위해 시작한 당근

23년 7월 초 토마토님께서 먼저 인스타그램 팔로우[1]를 해주신 것을 인연으로 10월까지 4개월 동안 꾸준히 소통을 이어왔어요. 언제나 진심 어린 댓글과 꾸준한 인스타그램 활동으로 저에겐 꽤 많은 동기부여를 유발한 분이었죠. 댓글과 피드[2]로만 소통하다가 10월 중순쯤 토마토님께서 아주 정중하고 상냥한 장문의 메시지를 보내주셨어요. 내용은 마음 맞는 사람들과 가볍게 수다 떠는 독서 모임을 하려고 하는데 함께하자는 제안이었죠.

메시지를 받았던 시점이 인스타그램을 시작하고, 처음으로 새로운 사람들을 만나기 위해 오프라인 모임을 다녀와서 괜히 의기소침해졌던 상태였어요. 그래서 다시 새로운 사람들을 만나 가벼운 마음으로 이야기할 수 있을지 걱정이 많았죠. 그리고 이전까지는 오픈 채팅방으로 운영되는 독서 모임 하나만 참여하고 있었기에 실시간 화상으로 진행되는 독서 모임에 잘 적응할 수 있을지도 걱정되었어요.

10월은 책을 읽기 시작한 지 6개월 정도 된 시점이었지만 제 생각을 이야기한다거나 책에 관한 내용으로 사람들과 대화한다는 것 자체가 살짝 부담스럽더라고요. 그래서 사실 메시지를 받고 '어떻게 거절하지?' 하는 생각으로 멘트를 짜내느라 빠르게 답장하지 못했었죠.

---

1) 팔로우 : 인스타그램에서 친구를 추가하는 행위
2) 피드 : 인스타그램 게시물

거절 멘트를 생각하다 문득 '이 모임이 새로운 사람들과의 대화에 대한 불안을 이겨낼 기회가 될 수 있지 않을까?' 하는 생각이 들었어요.

사실 인스타그램을 처음 시작했을 때의 다짐은 나답게 표현하는 삶을 살아보자는 것이었는데 이렇게 새로운 사람들을 만나는 것조차 무서워하고 피하려 한다면 더 이상의 발전도 없고, 내가 원하는 대로의 삶도 살 수 없을 것이란 생각이 들더라고요. 4개월간 소통하면서 실시간으로 직접 이야기해 본 적은 없었지만, 막연히 '토마토님과 같은 분들과의 모임을 한다면 앞으로도 새로운 사람들과 책을 읽고 대화하는 게 조금은 쉬워지지 않을까?' 하는 기대감도 있었어요.

이번 책수다 독서 모임이 사람들 앞에서 나의 이야기를 전해보며 또 다른 나의 모습을 발견하는 기회라고 생각했습니다. 그리고 아주 가볍게 시작하는 만큼 오히려 더 깊은 대화를 나눌 수 있을지도 모르겠다는 막연한 기대로 참여를 결정하게 되었습니다. 그렇게 10월 18일 오후 9시 책수다 1기에 설레는 마음으로 참여하게 되었습니다.

3. 내 깊이를 들키는 게 두려웠던 브로콜리

책을 읽기 시작하고 6개월 정도가 지났을까요? 다른 사람의 깊이 있는 독서를 볼 때마다 스스로가 작아지고 있었습니다. 제 독서 경력이 짧은 것은 둘째 치고, 깊이 있는 독서를 하는 사람들의 생각은 어디서 출발하는지 궁금했습니다. '다른 사람과 생각을 나누면 내 생각도 자라지 않을까?' 그렇게 처음으로 독서 모임을 시작했습니다.

처음으로 참여한 독서 모임에서는 철학책을 읽었습니다. 책을 읽고 카카오톡 메신저에서 책의 소감과 발제문에 대한 답변을 나누는 방식으로 진행된 모임이었습니다. 저는 육아를 하며 따로 시간을 내기가 어려워서 주로 채팅방을 통해 대화를 나누는 방식의 독서 모임만을 참여해 왔었습니다. 그래서였을까요? 독서 모임에 대한 갈증은 시원하게 해소되지 않았고, 텍스트 너머에 있는 사람도 잘 느껴지지 않았습니다. 그럼에도 저는 다른 방식의 독서모임에 참여하는 것은 쉽게 도전할 수 없었습니다. 무엇보다 제 짧은 독서 깊이를 들키는 게 두려웠기 때문입니다.

어느 날, 가깝게 지내던 인친님이 독서 모임을 함께 하자고 연락했습니다. 일주일에 한 번 책을 읽고 재밌게 수다 떨자는 것이었습니다. '수다? 책으로?' 생각만 해도 두근거렸습니다. 깊이 있는 대화가 아니라 그냥 수다를 떤다고 생각하자 심리적 장벽이 와르르 무너졌습니다. 할 수 있을 것 같았습니다.

생각해 보면 처음부터 저에게는 큰 오류가 있었던 것 같습니다. 제가 독서를 경험하기 이전에는 책이 어렵고 따분하고 진지한 일이라고만 생각했습니다. 그러나 독서를 시작하고 보니, 책은 쉽고 재미있고 흥미로운 취미인 것을 알게 되었습니다. 하지만 그런데도 여전히 독서 모임은 부담스럽게만 느껴졌습니다. 왜 저는 독서 모임이 어렵고 진지해야만 한다고 생각했을까요? 친구와 밥을 먹으면서 수다 떨 듯, 카페에서 커피를 마시면서 근황 이야기를 나누듯, 그렇게 독서 모임을 할 수도 있는데 말이죠.

그렇게 저는 책수다 모임을 시작했습니다. 심리적 장벽은 무너졌지만, 여전히 존재하는 육아 장벽에 과연 저는 책수다 모임을 지속할 수 있었을까요?

4. 권태기와 함께 시작한 가지

어느 화창한 오후, 그날도 독서 모임을 하고 있었습니다. 그리고 이번 모임을 끝으로 당분간 독서 모임을 쉬어야겠다고 생각하고 있었습니다. 그때 문득 받은 한 메시지로부터 저는 다시 '책수다'라는 독서 모임을 시작하게 되었습니다.

메시지에는 가볍게 독서 모임을 하자는 제안이 적혀 있었습니다. '가지님 혹시 책수다 모임, 같이 하실래요?' 이 간단한 문장에서 시작된 장문의 메시지. 하지만 저는 9시간 만에 답장했습니다. 사실 당시 번아웃이 와서 책은 물론 아무것도 하고 싶지 않은 시기라서 망설여졌습니다. '내가 과연 잘할 수 있을까?', '하다가 또 그만두게 되는 것은 아닐까?' 하는 생각이 들었습니다. 무엇보다 직전에 모집한 독서 모임이 실패로 끝난 상황이어서 더 걱정되었습니다. 하지만 제 성향상 무엇이든 한번 시도해 본 후 판단하는 편이라 바로 제안을 수락했습니다. 조금은 책 모임에 대한 욕심이 남아 있었고, 앞으로 인스타그램을 통해 독서 모임을 모집할 생각이 많았던지라 경험으로도 좋겠다고 생각했습니다. 고민 끝에 토마토님께 함께 하겠다고 답장했고, 드디어 책수다를 시작하게 되었습니다.

만약, 이 책수다 모임이 진중하게 책을 읽고, 진지한 발제와 질문을 통해 진행되는 구조였다면 저는 거절했을 겁니다. 하지만 이 모임은 발제나 질문 등을 생각하지 않아도 되니 부담이 없었습니다. 실제로도 아무 생각 없이 책수다에 참여했고, 너무 바쁜 주에는 책을 다 읽지 못하고 참여한 적도 있었는데, 그것과는 전혀 상관없이 책수다는 잘 진행되었습니다.

물론 책수다 모임도 결국 사람들의 모임인지라 중간에 정적이 흐를 때도 있었습니다. 어려운 책이든 쉬운 책이든 책의 난이도에 상관없이 정적은 찾아왔습니다. 하지만 서로 웃고 말 뿐, 수다는 계속 진행되었습니다. 아무런 부담 없이, 모임 중에 흐르는 정적에도 걱정할 필요가 없다는 점이 제가 이 모임을 즐기게 된 큰 이유였습니다.

책을 고르는 기준도 부담 없는 분량이 최우선이었습니다. 암묵적으로 300쪽이 넘어가는 도서는 선정하지 않았고, 어려운 책도 고르지 않았습니다. 역시 이 모임의 신조인 '부담 없음'을 다들 지켜주는 점이 고맙기도 했습니다.

간단한 오리엔테이션 후에 본 모임이 시작되었는데, 영광스럽게도 제게 첫 책을 고를 기회가 주어졌습니다. 안리타 〈모든 계절은 유서였다〉라는 아주 얇은 책과 함께 그리고 제 군산 여행과 함께 책수다 모임은 시작되었습니다.

[첫 번째 인터뷰] 채소사총사를 맞춰라!

1. 토마토

Q. 왜 토마토예요?

A. 토마토는 앞으로 읽어도 토마토, 뒤로 읽어도 토마토잖아요. 그게 어떤 의미이냐면……. (웃음) 실은 아무 의미 없었어요. 채소 이름을 선택할 때 딱 떠오르기도 했고, 채소인 듯, 과일인 듯한 것이 마음에 들었던 것 같아요. 모임 중에 우리 아들 방울토마토군도 등장해요. 아들 이름 짓기도 참 좋은 채소라서 토마토라고 하길 잘했다 싶었어요.

Q. 어떤 삶을 살고 싶어요?

A. 사유와 질문, 그리고 유머가 있는 삶이요. 8년쯤 전에 동료 직원과 업무차 요양병원에 갔어요. 그곳에서 치매에 걸리신 할머니가 저희에게 다가와 꽃을 보여주고 환하게 웃으며 예쁘지 않냐고 자랑하셨어요. 소녀 같으셨죠. 그런데 그분이 갑자기 조금 전 해맑던 모습

은 온데간데없이 진지하게 얼굴을 바꾸고는 제 눈을 똑바로 바라보며 말씀하셨어요. 드라마에서 신이 인간의 모습을 하고 나타난 듯 근엄한 카리스마를 보이시면서요.

"즐겁게 살아야 해."

그 순간에는 그저 당황스러운 에피소드 정도로 여겼어요. 그런데 돌아오던 길에 그 말씀이 자꾸 떠올랐어요. '정말 즐겁게 살아야겠구나…. 나이를 먹고, 인생을 돌아볼 즈음이 되어서 아쉬운 것은 더 즐겁게 살지 못한 것이구나….' 하고 생각했죠. 그때부터 힘든 순간이 올 때마다 그 할머니가 떠올랐어요. 그리고 되새겼죠. '즐겁게 살아야지…. 하고 싶은 거 다 하면서….'

즐겁게 살기 위해서는 질문과 사유와 유머가 필요하다고 생각했어요. 어떤 삶이 즐거운지 질문한 후 생각해야 하고, 유머로 가장 빠르고 정확하게 삶을 즐겁게 만들 수 있으니까요. 그래서 저는 세 가지를 놓지 않으며 살려고 해요.

2. 당근

Q. 왜 당근이에요?

A. 제가 가장 좋아하는 채소가 당근이에요. 그냥 먹을 땐 오이와 달리 적당한 수분과 아삭한 식감이 있고 달콤함이 좋아요. 익혀서 먹으면 달콤함이 더 진하게 느껴져서 맛있더라고요. 그래서 어떤 채소가 하고 싶냐는 물음에 가장 먼저 떠오른 게 당근이었어요.

Q. 어떤 사람인가요?

A. 사실 35년을 살면서 내가 어떤 사람인지 생각해 본 적이 한 번도 없었어요. 그런데 독서와 글쓰기를 시작하면서 비로소 스스로 어떤 사람인지 생각해 보게 되었죠. 저는 아주 작고 소소한 일상 속 행복들을 좋아하는 사람입니다. 강아지 발냄새, 커튼 사이의 햇빛 등 일상 속 행복을 참 좋아해요.

그리고 지금까지는 인간관계 속에서 스스로를 챙기지 못해 많이 힘들어했었는데 이제는 나를 더 챙기고 자신을 사랑하면서 타인과 좋은 관계를 유지하려고 열심히 노력하고 있는 사람입니다.

Q. 어떤 삶을 살고 싶어요?

A. 저는 여유 있는 사람이 되고 싶어요. 금전적인 것뿐만 아니라 마음의 여유도 넘쳐 많은 이들을 이해하고, 나누며 베푸는 사람이 되고 싶어요.

지금까지 '나'보다 '타인'에게 맞춘 삶을 살았어요. 내 생각을 표현하는 것보다 타인의 의견에 맞춰주는 게 마음이 편했으니까요. 하지만 이제는 작은 것부터 제 생각을 표현하려고 노력하면서 '나다운 삶'을 살아가려고 해요. 결국은 타인과 나 사이의 균형을 잘 잡아서, 포용력 있는 사람으로 살고 싶어요.

나다움을 찾기 어려운 사람들에게 길을 제시해 주기도 하고, 마음이 힘든 사람들의 길도 따뜻하게 밝혀주는 삶을 살고 싶어요.

3. 브로콜리

Q. 왜 브로콜리예요?

A. 옛날부터 정말 좋아했던 음식 중 하나가 브로콜리였습니다. 삶아서 초장에 찍어 먹으면 그렇게 맛있더라고요. 남편이 연애 중에 좋아하는 음식이 뭐냐고 물어서 브로콜리라고 대답했더니 시어머니께서 삶은 브로콜리를 잔뜩 준비해 주셨던 기억도 있고요. (웃음) 저에게 추억 가득한 음식이라 먼저 떠올랐던 것 같아요.

Q. 북스타그램을 시작한 이유가 궁금해요.

A. 올해 4월경에 이사를 하면서 미니멀 라이프에 관심을 가지게 되었어요. 당시 살림을 제대로 하고 싶어서 다양한 살림 스터디에 참여했어요. 배운 것을 적용하면서 인스타그램에 올리기 시작했는데, 생각보다 할 만하다는 생각이 들어서 다른 분야로도 도전해 보고 싶더라고요. 스터디 과정에서 시작한 것이 10분 책 읽기였어요. 그 무렵 북스타그램 강의가 제 알고리즘에 운명처럼 나타났습니다!

저는 인스타그램에 굉장히 부정적인 사람이었어요. 유명한 사람만이 인스타그램을 통해서 성공할 수 있다고 생각했어요. 하지만 주변에 성공하신 분들과 직접 소통해 보니 꾸준하게 자신의 영역에서 성장하고 계신 분들을 결국 드러나게 하는 곳이 인스타그램인 것 같아요.

Q. 어떤 삶을 살고 싶어요?

A. 저는 어릴 적 타인에게 맞춰서 살아왔습니다. 주변 어른들의 기대에 맞게 사는 것이 잘사는 법이라고 생각했어요. 하지만 결혼 후에 그것이 아니라는 걸 알게 됐죠. 어쩌면 결혼하고 난 시점부터 제가 진짜 어른이 된 걸지도 모르겠네요. 저는 정말 '나답게' 살고 싶어요. 20년 이상을 타인에게 맞춰 살아왔기 때문에 아직 많은 연습이 필요해요. 계속 책을 읽으면서 제가 원하는 삶을 표현하다 보면 주체적으로 살아갈 수 있지 않을까요? 무엇보다 제 아이도 주체적인 사람으로 자랐으면 해서 제가 먼저 그런 삶을 살아야 한다는 생각이 들어요.

4. 가지

Q. 어떤 사람이에요?

A. 안녕하세요. 가지입니다. 저는 외국어와 여행을 좋아합니다. 여행은 주로 혼자 다니는 편인데, 그때마다 느끼는 자유로움을 너무 좋아합니다.

그리고 지금까지 배운 외국어는 영어, 제2외국어로 배운 독일어, 게임 해석하려고 배운 일본어, 스페인 친구에게 조금 배우다 만 스페인어, 독학으로 배우고 있는 프랑스어가 있습니다. 언젠가 지금까지 배운 외국어를 통달해서 그 언어로 된 책을 자유롭게 읽어보고 싶어요.

Q. 왜 가지예요?

A. 솔직히 말씀드리면 가지는 제가 싫어하는 채소입니다. 그런데 어느 날 홍콩식 가지 요리를 먹은 적이 있는데 그건 또 맛있더라고요.

이번 독서 모임은 제게 특별했습니다. 더 이상 책을 읽고 싶지 않았던 때 시작하게 되었거든요. 그래서 책이 질려버린 시점에서 만난 독서 모임이 마치 가지를 싫어하는데 만난 홍콩식 가지 요리라는 생각이 들었어요. 그래서 가지가 되었답니다.

Q. 북스타그램을 시작한 이유가 궁금해요.

　A. 작가가 되기로 결심하고, 쓴 글을 인스타그램에 올리는 '글스타그램'을 운영하고 있었습니다. 그런데 글들이 트렌드에 맞지 않는 것인지 반응이 크지 않았고, 시간이 흐를수록 힘이 빠져갔습니다.

　그러다 우연히 친구가 북스타그램을 하는 것을 알게 되었습니다. 친구의 인스타그램은 반응이 좋았습니다. 저도 평소에 책을 좋아하고 있었기에 책에 관한 이야기를 올려도 좋겠다고 생각했습니다. 그래서 운영 중이었던 글스타그램에 책 서평을 섞어 올렸습니다. 그렇게 글과 서평을 섞어서 올리다 지금은 북스타그램에 집중하고 있습니다.

이토록 다정한 독서모임

채소사총사의 책수다

PART 2
지금, 여기의
행복을 찾는 책

Part 2. 지금, 여기의 행복을 찾는 책

1. 권태기는 나에게 보내는 메시지다.

(1) 〈모든 계절이 유서였다〉 가지의 책 이야기

달, 별, 기억, 그리움, 그리고…….

비가 오는 어느 가을날 시를 읽었습니다. 시에는 슬픔이 가득해서 저도 슬프게 읽었습니다.

봄에는 꽃잎이 휘날리며 유서를 남기고, 여름엔 매미들이 죽어가며 유서를 남깁니다. 가을에는 이파리들이 색을 바꿔가며 유서를 남기고, 겨울에는 어떤 생물이 지며 유서를 남깁니다.

그럼, 제 유서는 언제쯤 남기게 될까요?

그러니까 이 책장의 끝은 어디일까,
마지막 장엔 어떤 풍경이 놓여있을까,
나는 그런 것이 궁금하다.

바쁘게 지나가는 가을처럼,
내 마음도 부지런히 그것을 독해하는 것이다. - P.25

이 책은 계절마다 생각이 날 것 같은 시집입니다.

계절 안에는
꼭 계절이 살만한 공간을 마련해 두어야 했다.
내 안에도 누군가 들어설 자리 하나쯤은 비워놓는다.

당신이 아니면 바람이겠지, 노래겠지.
그것도 아니면 피어나는 꽃 한 송이겠지. - P.47

나는 환절기마다 당신을 앓았다.

그러니까 꽃 떨어지는 소리가
너무나도 크게 들리던 계절마다. - P.51

이 책은 짧은 시집이지만, 너무 많은 페이지를 접어서 어떤 부분이
제일 감명 깊은지 꼽을 수 없을 만큼, 제게 깊은 인상을 남겼습니다.
중간에 독일어로 된 시도 있었는데, 나중에 독일어도 공부해서 읽고
싶은 마음도 들었습니다.

Der Mond (달)
die Sterne (별)
die Erinnerung (기억)
die Sehnsucht (그리움)
und, (그리고,) - P.34

사실 이 책을 산 건 다소 충동적이었습니다. 인터넷 서점을 둘러보
던 중 이 책을 발견하고 바로 장바구니에 넣었습니다. 평소 에세이와

시집을 좋아하기에 제목이 마음에 들어 얼른 구매했습니다. 그리고 고이 모셔뒀던 이 책을 어느 비 오는 가을날, 파주 출판단지의 작고 조용한 카페에서 읽기 시작했습니다. 비가 살짝 그치며 비에 젖은 낙엽들이 한가득 거리에 있었습니다. 이 책과 너무 잘 어울리는 풍경, 온도, 습도, 냄새였습니다. 그렇게 책 속 분위기를 만끽하며 이 책을 읽었던 그날을 지금도 잊지 못합니다.

> *노트에 꽃잎을 올리니.*
> *시가 되었다 - P.6*

> *아무것도 걸치지 않은 생각, 오지를 거니는 자유.*
> *이름 없는 길가의 사물들을 발견하는 감격,*
> *소속되지 않은 이방인의 춤. - P.11*

이 책은 시집 같기도 하고 에세이 같기도 합니다. 문장 하나하나 감성을 일깨우고, 가을날에 읽기 좋은 책입니다. 저는 인상 깊은 구절을 만나면 페이지 아래쪽 모서리를 살짝 접는 편인데, 이 책에는 빼곡히 그런 접힘이 쌓여 있습니다.

(2) 〈모든 계절이 유서였다〉 책수다 이야기

〈모든 계절이 유서였다〉 책에 대한 감상

토마토   가지님. 이 책을 선정하신 이유가 있으실까요?

가지   저는 이 책이 얇고 가벼워서 선정했어요.

토마토　네. (웃음) 가지님은 여행지에서 모임에 참여하셨네요?

가지　네. 군산에 여행 왔는데, 지금 여기는 게스트하우스입니다. 근처에 독립서점도 두 군데나 갔고 책도 6권이나 샀는데, 아주 만족스러워요.

토마토　좋네요. 그럼 책에 대한 감상을 본격적으로 나눠볼까요?

브로콜리　저는 이 책을 이번이 두 번째 읽는 것이었어요. 처음에는 술술 읽혀 나갔는데, 다시 읽으니, 책의 저자가 노력하고 애쓰고 있다는 느낌을 받았어요. 작가의 슬픔에 같이 빠져드는 느낌도 들었어요. 책이 너무 슬퍼요.

당근　이 책은 시집 같기도, 에세이 같기도 해요. 저는 강아지를 키워서 강아지가 등장한 부분을 읽을 때 공감되고 울컥한 느낌이었어요. 작가의 묘사가 너무 생생해서 그 풍경과 상황들이 그려져서 자연 속에 있는 것 같아요.

　　술래잡기

　　요즘은 휴일마다 강아지와 아무도 없는 숲에서
　　술래잡기할 때가 제일 행복하다.
　　아직은 내가 숨고 밤이가 술래만 한다.
　　지금은 원 없이 놀아주고 싶다.
　　언젠가 밤이는, 나보다 더 오래 마음속에서
　　숨어있을 친구이니까. 후회로 남고 싶지 않아서.

　　강아지가 숲을 헤치다가 땅을 파고 논다.
　　마른 풀 비비는 소리가 나는 방향으로
　　어디 있나 비집고 들어가 보면,
　　빛없는 잡초에도 가을이 꼭꼭 숨어있었다. - P.21

토마토	당근님 목소리 너무 좋으세요. 좋은 목소리로 책의 감상을 이야기하시니 절로 힐링이 됩니다. 저도 늦은 밤 방안에서 이 책을 읽었는데, 자연의 풍경으로 들어가는 듯한 느낌을 받았어요. 작가의 섬세한 관찰들 덕분에 잠시나마 여행하는 듯했어요.
가지	저는 책을 읽으며 작가가 슬퍼할 준비를 하는 것 같은 느낌을 받았어요. 강아지도 생이 짧잖아요. 그래서 떠나보낼 것들에 대해서 받아들이는 과정을 남긴 책 같았어요. 그리고 저는 중간에 독일어로 된 문구들을 해석해 봤어요.
토마토	독일어였어요? 저는 몰랐어요.
가지	제2외국어가 독일어였습니다.
토마토	와~ 그렇군요. 저는 일본어. (웃음)
당근, 브로콜리	저는 중국어. (웃음)
토마토	그러면 문장 해석도 가능하신가요?
가지	달, 별, 기억, 그리움이라고 쓰여있어요.
브로콜리	그럼, 앞에 나왔던 '살아서 온전히 자신만을 다 하는 그것들뿐이다.'가 달, 별, 기억, 그리움일까요?
가지	그럴 수도 있어요. 앞에 기억에 대한 시도 있어요. 그 시와 관련이 된 듯도 하고요.

Erinnerung

가만히 흘러가는 하루 치 풍경을 바라보고 있으면

동공은 이 대용량의 끝없는 장면을
어떻게 저장하나 놀랍다.

심장은 이 영화를 어떻게
한평생 제멋대로 재생하나 놀랍고. - P.10

여기 나오는 Erinnerung이 기억, 추억이라는 뜻이거든요.
앞에 독일어로 나왔던.

일동　　와~ 대박!

토마토　독일어로 '안녕하세요'가 뭐예요?

가지　　밤이니까 '구텐낫(Guten Nacht)'

토마토　우와~ 우리 모임 끝날 때 '구텐낫'을 외치고 마무리하기
　　　　로 해요. 너무 멋지네요. 그런데 책 제목이 좀 특이한
　　　　것 같아요. 책 제목의 의미는 무엇일까요?

당근　　저는 책의 마지막 글을 읽고 생각해 봤어요.

먼 훗날, 나의 영정사진은 작은 들꽃 사진이었으면 한다. - P.156

　　　　작가님은 생 속의 사라지는 것들을 정리하는 마음으로
　　　　글을 쓰신 것 같은 느낌도 받았어요.

브로콜리　안리타 작가님의 책 제목들은 항상 인상적이에요.
　　　　〈리타의 일기〉, 〈이, 별의 사각지대〉, 〈한때 내게 삶이
　　　　었던〉, 〈사라지는, 살아지는〉, 〈쓸 수 없는 문장들〉. 그
　　　　런데 이 책은 독립출판사의 책인가요?

가지　　이 책은 '홀로씨의 테이블' 출판사의 책인데, 저자의 독
　　　　립출판사인 것 같아요. 독립출판사인데 책이 10쇄를 찍

었어요. 이건 굉장히 이례적인 일이죠. 책의 수익이 다 작가에게 가는 건 정말 부러워요.

브로콜리 그렇네요. (웃음)

권태기에 대해

토마토 저는 삶에 지친 이들이 이 책을 읽으면 좋겠다고 생각했어요. 권태기가 온 사람들이 읽으면, 그 시간은 온전히 느슨하게 보낼 수 있겠다는 생각이 들어요. 책에서는 계속 생겨나는 것들처럼 사라지는 것들도 당연하니, 자연스럽게 받아들이라고 해요. 슬프면 울고, 지치면 그냥 지친대로 있어도 된다고 말하는 듯해요. 그래서 저는 우리들의 권태기에 관해 이야기해 보면 좋을 것 같아요. 가지님은 이전에 권태기라고 하셨는데, 요즘은 어때요?

가지 잘 모르겠어요. 항상 열정에 넘쳐서 일을 만들고, 열심히 하다 결국 지치게 되는 것 같아요. 저는 그럴 때는 그냥 쉬라는 의미로 받아들이려고 해요. 이제는 '쉬어야 할 타이밍이구나.' 하고 생각합니다.

브로콜리 저도 지금 권태기 것 같아요. 저는 권태기라도 책임감으로 계속하고 있는 것 같아요. 그러다 보면 어느새 몸이 적응한 것인지 권태기가 지나가고 있더라고요. 하지만 이번 기회에 권태기에 대해 제대로 생각해 봐야겠어요.

당근 정신없이 목표를 향해 무작정 가다 보면 가끔 공허해질 때가 있어요. 그래서 저는 일주일에 하루는 온전히 쉬는 시간을 가지려고 해요. 그리고 그다음 목표를 미리 정해 두려고 해요. 그러면 동기부여가 되어서 다음으로 나아 갈 수 있어요.

토마토 저는 모든 감정에는 이유가 있다고 생각해요. 고통, 불안, 죄책감, 슬픔이란 감정들은 표면적으로는 우리를 힘들게 하는 감정이지만 실은 우리를 지켜주는 감정일 수 있어요. 우리 자신에게 보내는 신호들이죠. 가령 불안이라는 감정은 '좀 더 준비해야 할 것 같아.' 혹은 '좀 더 조심해야 할 것 같아.' 하는 신호이고, 죄책감은 '다시는 안 그러는 게 좋겠지?' 하는 신호, 고통은 '너 지금 아프니까 치료해야 해.', 그리고 권태로움은 '너 지금 좀 쉬어야 해. 잠깐 멈춰볼래?' 하는 신호일 수 있어요.

에세이 한 권을 읽는 시간?

당근 저는 시집 같은 책을 자주 읽는 편은 아니어서 다른 분들은 어떤 식으로 책을 즐기시는지가 궁금했어요. 얇아서 30분 만에 읽었는데 다른 분들은 어떠셨어요?

브로콜리 저도 처음 읽었을 때 30분 정도 걸렸어요. 처음 읽었을 때는 작가의 슬픔에 좀 더 감정이입이 되었다면, 재독 할 때는 '왜 이렇게 슬플까?', '뭘 위해 이렇게 애쓰고 있을까?' 하는 궁금증이 더 들었어요.

토마토	저는 3~4시간 정도 걸렸던 것 같아요. 읽으면서 '책이 얇고 금방 읽을 것 같았는데, 왜 이렇게 오래 걸리지?' 하는 의문이 들었어요. 생각해 보니 저는 사유하는 것을 좋아해서 생각하고, 묘사한 것을 상상해서 그려보며, 멈춤을 반복했던 것 같아요. 덕분에 바쁜 일상에서 쉼표를 찍고 한숨 돌리는 시간이었어요.
가지	저는 이런 종류의 책을 좋아하는데, 박연준 산문집 〈소란〉도 좋아요. 하지만 이 책은 호불호가 있어서 추천은 못 하겠어요.
토마토	저도 〈소란〉 지인이 추천해 줘서 집에 있는데 아직 못 읽었어요. 빨리 읽어보고 싶어지네요.

〈모든 계절이 유서였다〉 책수다를 마무리하며

브로콜리	모임 전에 너무 피곤했었는데, 모임을 하면서 충전이 되었어요. 솔직히 수다를 더 떨 수도 있어요. (웃음) 그리고 권태기에 대해 다시 생각해 봐야겠다고 생각했어요.
당근	저는 선정 도서에 국한되어 이야기를 나누지 않아서 더 편안하게 대화를 나눈 것 같아요. 처음에는 낯설고 걱정도 했었는데, 오히려 준비하지 않아서 더 자연스럽게 끊임없이 대화를 나눌 수 있었던 것 같아요.
가지	저도 오늘 생각보다 재미있고, 편안하고 즐거웠어요.
토마토	다음 주도 준비 없이 느슨하게 만나요. 구텐낫~

일동　　구텐낫~

　이날 저희는 글쓰기에 관해서도 이야기를 나눴습니다. 책과 글쓰기를 좋아하는 사람들이 모이니, 자연스럽게 관심사가 그쪽으로 흘렀고, 이미 책을 출판한 두 분이 계셔서 이야기는 더 풍성해졌습니다. 이렇게 저희의 첫 독서 모임은 한없이 편안하고 즐거웠습니다.

　지금까지 고막 여신 당근, 생각보다 웃긴 가지, 멋짐이 넘치는 브로콜리, 리뷰 남기는 토마토였습니다.

2. 행복은 빠른 시간 속 느린 수집이다.

(1) 〈작은 기쁨 채집 생활〉 당근의 책 이야기

책을 좋아하는 친구들과 함께 떠난 2박 3일 제주도 여행에서 하루에 한 번씩 독립서점을 방문했어요. 그곳에서 특히 제 눈길을 끌었던 것은 바로 블라인드 북[1]이었죠. 예전에 '로맨스는 별책부록'이라는 드라마에서 블라인드 북에 대해 나왔을 때 '저런 책은 살 때도 읽을 때도 설레겠다.' 하고 생각했는데, 직접 실물로 보니 고르는 순간부터 기대 이상으로 좋더라고요. 제가 구매한 블라인드 북의 키워드는 4가지였어요.

#작고 귀여운 기쁨 #오밀조밀 나를 들여다보기
#좋음의 흔적 #삶의 균형

이 책을 구매하기 전부터 저는 나다움과 삶의 균형에 대해 고민했었어요. 그래서 작고 귀여운 기쁨이 어떤 것일지 나와 생각이 같을지 궁금했고, 나를 들여다본다는 건 어떤 것인지 궁금했어요.

손바닥보다 조금 크고 깔끔한 흰색 바탕의 〈작은 기쁨 채집 생활〉 책은 평범한 일상에서 나다운 규칙을 만들어 가는 김혜원 작가의 이야

---

1) 블라인드 북 : 책의 제목, 작가를 숨겨두어서, 키워드만으로 선택할 수 있는 책

기가 담겨있는 에세이예요. 매일 쓰는 물건이니까 예뻐야 하고, 나와 합이 잘 맞는 장소를 찾아내고, 오늘의 기념품을 남긴다는 생각으로 일기를 쓰고, 월급날 내가 좋아하는 것을 하는 등 무료한 일상에 틈틈이 행복을 채워나가는 이야기가 참 좋더라고요. 마치 친구가 옆에서 "나는 이런 게 좋고, 이렇게 하면 행복해." 하고 수다를 떠는 듯한 문체와 중간중간 들어가 있는 직접 찍은 사진들을 보느라 시간 가는 줄 모르고 책을 읽었어요. 이 책에서는 '마음 놓고 행복할 수 있을 때'는 없다고 말해요. 그렇기에 일상 속에 나를 행복하게 하는 장치들을 마련해 두어야 한다고 하죠.

저의 커튼 사이로 들어오는 햇빛이나 우리 집 강아지의 구수한 발냄새, 남편과 즐거운 식사 시간, 계절에 따라 변하는 나무들, 코를 뻥 뚫어주는 시린 겨울바람 등 지금 내가 살아있음이 느껴지는 작은 순간들이 참 행복한 것 같아요. 우리는 행복하기 위해 살아가면서도 일상에서의 행복을 발견하는 사람들은 많지 않은 것 같아요. 사실 진짜 행복은 이렇게 일상에 숨어있는데 말이죠.

이 책은 결국 나를 사랑해야 한다고 말하고 있어요. 많이 흔들려도, 지금 당장 행복을 발견하지 못해도, 스스로를 사랑해야 한다고 말이죠. 나를 사랑하는 가장 쉬운 방법은 일상에서 내가 좋아하는 것들을 하나씩 더해가는 것이에요. 정말 아무것도 아니지만 스스로 내가 좋아하는 것들을 알아주고, 더해준다는 것만으로도 참 행복한 기분이 든다는 걸 알게 해준 책이에요.

(2) 〈작은 기쁨 채집 생활〉 책수다 이야기

〈작은 기쁨 채집 생활〉 책수다를 시작하며

브로콜리 가지님 파마하셨네요?

가지 네~ 처음으로 해 봤는데, 괜히 한 것 같아요.

토마토 이런 말씀 드려도 될지 모르겠는데, 너무 귀여우세요.

가지 (가지 당황) 어색하네요.

〈작은 기쁨 채집 생활〉 감상평

토마토 오늘은 당근님이 추천해 주신 김혜원 〈작은 기쁨 채집 생활〉입니다. 책을 추천해 주신 이유를 들어볼까요?

당근 이 책은 쉼을 줄 수 있는 책일 것 같았어요. 많은 이야깃거리가 있을 것 같아서 함께 나누고 싶어 골라봤어요.

브로콜리 저는 이 책 작가님의 생각이 너무 공감됐어요. 접은 페이지도 정말 많아요. 할 이야기도 정말 많고, 진지하지 않게 수다를 떨 수 있는 책이라고 생각되었어요.

가지 저는 완독은 못 했어요. 책태기가 쉽게 가시지 않네요. 하지만 중간 정도까지만 읽어도 퇴근 후 포장마차에서 수다를 떠는 느낌은 받을 수 있었어요. 그만큼 해방감이 들기도 하고, 친근한 분위기의 책이었어요.

토마토 책 속에서 함께 이야기 나눠보고 싶었던 소재가 혹시 있으셨을까요?

가지	일기를 쓰는 것에 관해 이야기를 나눠보고 싶었어요. 일기 말고, 주간으로 작성하는 주기도 참 좋은 방법이라는 생각이 들었어요. 다른 분들은 일기를 쓰시나요?
당근	저는 생각날 때 한, 두 줄 간단하게 작성하는 편이에요. 감정 일기를 쓴 적도 있는데, 생각보다 우리의 감정을 표현할 수 있는 다양한 단어들이 많더라고요.
토마토	당근님 인스타그램 게시물에서 본 것 같아요. 그때 참 인상적이었는데, 혹시 어떤 표현들이 있었을까요?
당근	다양한 단어로 감정을 표현하며, 자신을 더 잘 알아갈 수 있었던 것 같아요. 예를 들면 불편한 상황일 때 '압도되다, 경직되다, 피하고 싶다.' 등이 있어요. 그리고 '기쁘다'를 '가뿐하다.'라는 식으로 표현할 수도 있고요.
브로콜리	저는 육아를 하며 감정 카드를 사용하기도 했는데, 형용사적 표현 등 우리가 인지하지 못했던 것들이 많았어요.
토마토	그렇군요. 이렇게 다채롭게 감정을 표현하는 방법을 알면 글을 쓸 때도 도움이 되고, 아이와 대화할 때도 아이 마음을 좀 더 세심하게 알아봐 줄 수 있겠네요.
브로콜리	저는 매해 새로운 다이어리를 구매하는데, 작년에는 10년 다이어리를 구매했어요. 자주 쓰지는 못하지만, 이 방법도 괜찮은 것 같아요.
가지	저는 일기장에 여행하며 모은 영수증이나 입장권 같은

것들을 붙이고, 방문한 여행지에 대해 간단히 적어놓았어요. 2015년부터 2020년까지 6년 동안 6권을 썼어요.

토마토 우와~ 대단하시네요. 그렇게 일기를 써 놓으니 어떤 점이 좋은 것 같으세요?

가지 기록한다는 것 자체로 의미가 있는 듯해요. 그때의 기분과 일정들을 스스로 정리하며, 한 번 더 여행의 즐거움을 느낄 수도 있고, 나중에 다시 보면 뿌듯하기도 하고요.

토마토 그렇겠네요. 저는 일기를 휴대폰에 메모 형식으로 쓰는데, 그것도 마음 복잡한 일이 있을 때만 생각 정리용으로 써요. 어쩌면 블로그가 제 일기장일 수도 있는 듯해요. 짧은 시를 한 편 쓰고, 그것에 대한 감상을 쓰는데, 그것으로 생각을 정리하기도 하죠. 여러분은 독서 노트를 사용하시나요? 저는 성격이 급해서 손으로 글씨 쓰는 것은 못 하겠더라고요.

가지 저는 예전에 잠깐 필사해서 인스타그램 게시물에 올리고는 했었어요. 그냥 콘텐츠 없을 때 게시물 올리는 용으로요. 근데 지금 생각하면 제 글씨 별로였던 것 같아요.

우리들의 소소한 행복

당근 이 책의 주제가 소소한 행복이잖아요. 책 속에 '뽀시래기 행복'이라고도 표현이 되는데, 저는 강아지와 함께하는 시간, 따뜻한 햇볕, 기분 좋은 바람들을 느꼈을 때 소소하게 행복을 느끼는 것 같아요. 다른 분들은 어떠신지 궁금했어요.

가지 저는 여행을 갔다가 잠이 덜 깬 상태로 동해의 바닷소리를 들었을 때 행복했던 것 같아요. 그리고 맛있는 것을 먹을 때 행복하고요.

나에게 행복이란 무엇인가?

토마토 저는 행복이라는 단어를 자주 사용하는데, 어떤 친구가 그게 무슨 느낌인지 모르겠다고 하더라고요. 기쁨은 아닌 것 같고, 어떻게 다른 건지 묻더라고요. 그 후로 주변 사람들에게 행복에 관해 물어보고 다녔어요. 그랬더니 생각보다 다양한 의견들이 나왔어요. 행복 자체에 대해 별로 생각하지 않는 사람이 있기도 하고, 행복을 타이밍이라고 하기도 했어요. 저는 행복은 기쁨과 감동이 함께 느껴지는 순간이라 생각해요. 기쁨만으로는 좀 아쉽고, 뭔가 긍정적인 감정에 감동이 더해지면 행복하다고 느껴지는 것 같아요. 여러분은 행복이 뭐라고 생각하세요?

브로콜리 (웃음) 질문이 철학적인데요?

토마토 (웃음) 좀 진지했나요?

당근 저에게 행복은 소소한 것, 빗소리, 햇빛이 반짝이는 순간, 친구와 들른 카페에서 디저트가 맛있을 때, 그럴 때 느껴져요. 제게 행복은 마음에 여유가 느껴지는 순간인 것 같아요. 온전히 그 시간에 집중할 수 있는 마음에 여유가 느껴지는 순간이요.

토마토   오~! 당근님이 말씀을 너무 잘하셔서 다음에 하실 브로콜리님 부담되시겠어요. (웃음)

브로콜리   (웃음) 저는 청소년기에는 별로 행복하다는 생각이 들지 않았어요. '기쁨', '보람'과 행복은 다른 감정이니까요. 최근에 행복을 맛보기 시작해서 '행복'이라는 감정을 배운 지 얼마 되지 않은 것 같아요. 아이러니하게도 아이가 생기면서 행복과 불행이 함께 왔던 것 같아요. 분명 너무 행복한데, 또 너무 불행하기도 하고요. 그런데 어느 순간 불행이 점점 제게서 멀어지기 시작하더라고요. 그러면서 행복이 더 잘 느껴지게 되었어요. 정리해 보면 저는 불행하지 않은 순간이 행복일 수도 있겠네요.

토마토   서사가 있네요. 불행이와 행복이가 불쑥 나타나 함께 살다가 불행이가 떠나고 행복이가 그 집을 차지했네요.

가지   저는 단것을 먹을 때 행복해요. 기쁘고 흐뭇한 느낌이 행복한 것 같아요. 골목을 걸었을 때도 행복하고, 그저 제게는 행복은 그냥 그 순간 자체인 것 같아요. 아, 그리고 우연히 마주친 개가 반겨줄 때 행복했어요.

토마토   가지님은 우연히 마주한 소소한 순간들이 행복으로 느껴지시나 봐요. 근데 생각해 보면 행복을 자주, 많이 느끼는 사람이 있고, 행복을 잘 느끼지 못하는 사람들이 있잖아요. '꼭 행복해야 하나?' 하는 질문에는 어떻게 생각하세요?

브로콜리   행복을 목적으로 살아가면 너무 힘들 것 같아요. 매 순간 행복을 느낄 수는 없잖아요. 물론 사소한 일에도 행복을 느끼는 것은 의미가 있지만, 꼭 그래야만 하는 것은 아니니까요.

토마토   가끔 행복해야 한다는 강박이나 의무감 등이 오히려 부담될 때도 있는 것 같아요. 행복을 느끼지 못하는 것도 잘못된 것은 아니잖아요. 사람은 다 다르니까요.

당근   그런 것 같아요. 일상의 행복들로 삶 전부를 상징하고 평가하는 것은 아닌 것 같아요. 그저 행복감이 느껴지면, 행복한 것이니까요.

토마토   저는 책 속에서 취향을 들키기 싫다는 말이 있는데, 그 이유가 좀 궁금해졌어요. 여러분도 취향을 들키기 싫으세요?

브로콜리   취향을 들키기 싫다는 감정이 어떤 감정인지 알 것 같아요. 어쩌면 '제 취향이 다른 사람을 불편하게 하지는 않을까?' 하는 생각이 들었던 것 같아요. 다른 사람의 취향과 내 취향이 다르면 가끔은 불편해지기도 하니까요.

토마토   그럴 수도 있겠네요.

소설을 쓰고 싶은 이유

토마토   제가 오늘은 질문이 많네요. 우리는 모두 소설을 쓰고 싶다고 말했었잖아요. 우리는 왜 소설을 쓰고 싶을까요?

브로콜리   저는 내향형인데, 소설 속 주인공의 언어로 제 생각을 표현하고 싶어요. 좀 더 자유롭게 쓰고 싶어서요. 에세이는 저자가 가감 없이 자신을 내보였을 때 매력적이더라고요. 하지만 저는 그럴 자신이 아직은 없어요.

당근   저도 브로콜리님 이야기에 공감해요. 에세이는 자신의 이야기잖아요. 그러면 아무래도 주변인들에게 상처를 줄 수도 있을 것 같아요. 그래서 소설을 쓰는 것이 더 마음 편하고 좋을 것 같다는 생각이 들었어요.

가지   저는 무엇보다 나만의 세계를 창조한다는 느낌이 좋았어요. 글을 자유롭게 쓰고 싶기도 하고요. 제가 했던 소설 공저 작업은 수없이 많은 수정 작업을 거치며 생각보다 자유롭지 못했지만요. (웃음)

토마토   그렇군요. 그럴 수 있을 것 같아요.

기억에 남는 여행지

토마토   여러분은 가장 기억에 남는 여행지가 어디일까요? 저는 대학 때 동생, 친구들과 함께 갔던 거제도 무전여행이 떠올라요. 10일 동안 왕복 교통비만 들고 호기롭게 떠났어요. 히치하이킹도 하고, 텐트 치고 자고, 횟집에서

단기 아르바이트를 해서 외도 입장료까지 벌어서 관광도 하고 왔는데, 그때 기억이 그렇게 오래 남더라고요.

가지 저는 속초를 정말 좋아해요. 속초는 정말 많이 가본 것 같아요. 자주 가는 게스트하우스가 있는데, 거기에는 책도 꽤 비치되어 있고 좋았어요.

브로콜리 저는 아이와 함께 간 강릉 여행이요. 아이가 어려서 여행 가면 너무 힘들 것 같았는데, 하나도 안 힘들고 너무 좋아서 깜짝 놀랐어요. '역시 육아는 마음가짐에 달렸구나.' 하는 생각도 들었어요.

당근 저는 해외 첫 여행이었던 베트남, 유니버셜 스튜디오가 너무 인상 깊었던 일본, 그리고 차를 몰고 여유 있게 이곳저곳을 누비고 다녔던 제주도 여행이 기억에 남아요.

토마토 우리 모두 바다를 좋아하네요. 저자에게는 제주도라는 여행지가 있었는데, 우리에게는 거제도, 속초, 강릉, 베트남과 일본 등이 있네요. 여행지를 다시 회상하는 것만으로도 얼굴이 상기되고, 기분이 좋아지는 것 같아요.

〈작은 기쁨 채집 생활〉 책수다를 마무리하며

토마토 오늘 책수다는 어떠셨어요? 제가 너무 질문이 많았죠? 정말 가볍게 수다 떨자고 해놓고 엄청 진지한 질문들을 잔뜩 짊어지고 와버렸어요. 다음에는 좀 자중할게요.

당근 근데 저는 이번 시간이 저번 시간보다 더 좋았어요.

정말 무겁지 않게 쉼을 주는 책인데 '이렇게 깊이 생각해 볼 수도 있구나' 하는 생각도 들었고요.

브로콜리 저도 생각해 보지 못했던 부분을 생각해 본 것 같아요. 저는 책 보면서 '각자의 소울 푸드는 뭘까?' 이런 생각만 했는데…. (웃음) 오늘도 좋았습니다.

가지 제가 책을 다 못 읽었는데, 생각보다 오늘은 진지한 이야기가 오갔네요. 그래도 좋았습니다.

토마토 저는 이 책이 너무 좋았어요. 다음 주에 친구 만날 때 한 권 선물하고 싶어요. 덕분에 좋은 책을 만나서 너무 좋았습니다. 당근님이 책 5권을 팔아주신 겁니다.

당근 오~! 너무 좋네요.

지금까지 생애 첫 파마가 너무 잘 어울리는 가지, 마음의 여유를 느끼게 해준 당근, 불행이와 행복이의 서사를 들려준 브로콜리, 궁금한 게 많은 질문쟁이 토마토였습니다.

3. 오래 살수록 인생은 아름답다.

(1) 〈이달의 마음〉 브로콜리의 책 이야기

이달의 마음, 제목부터 심상치 않았습니다. 괜히 어떤 마음일지 궁금해지고, 들여다보고 싶었습니다. 부제가 '1월부터 12월까지, 고이 접어두었던 순간을 하나씩 펴보는 시간'입니다. 숨겨두었던 나의 마음을 함께 펴봐야 할 것 같은 두근거림이 느껴졌습니다. 그림으로 이루어져 있고 책도 얇지만, 다가오는 공감과 울림은 가볍지 않습니다.

여러분은 어떤 계절을 가장 좋아하시나요? 어떤 계절에 어떤 감정을 주로 느끼시나요? 저에게 가을은 다른 계절보다 조금 더디게 가는 느낌을 줍니다. 가을의 쾌청함이 오히려 쓸쓸하게 만들 때가 많기 때문입니다. 그럼에도 제가 가장 좋아하는 계절은 가을입니다. 가을의 시원한 바람이 그 어떤 계절보다 제 마음에 들기 때문이죠. 쓸쓸한 계절이 가장 좋아하는 계절인 것이 참 재밌죠? 이렇게 각자의 이야기가 있는 계절이 있을 텐데 여러분에게 각 계절은 어떤 마음을 만드는지 먼저 떠올려 본다면 책을 더 재밌게 읽을 수 있을 것 같습니다.

〈이달의 마음〉은 봄부터 겨울까지 4장으로 구성되어 있고, 2개의 소제목씩 12개월, 총 24개의 소제목이 담겨있습니다. 이 책은 우리들의 숨겨진 감정을 집게로 콕 집어 꺼내주는 듯합니다. 미처 알지 못했던 나의 감정을 느낌표로 만들고, 공감하게 만드는 책입니다. 툭 던져지는 따뜻함과 다정함이 피부까지 닿는 듯합니다. 저는 무엇보다 봄과 여름에 공감되는 내용이 참 많았습니다. 글이 많은 책을 읽기가 어려운 분들이 틈새 시간을 이용해서 읽기에 아주 좋은 책이었습니다.

저는 원래 저의 마음을 돌보는 사람이 아니었습니다. 학교에 다니면서 공부할 때는 목표를 이뤄내야 했고, 직장을 다닐 때는 환자들을 위해 최상의 서비스를 제공하는 친절한 간호사가 되려고 했죠. 어렸을 때부터 저를 돌보는 것보다 타인을 돌보는 것이 익숙했습니다. 그렇게 나를 돌보는 것을 점차 잊게 되면서 결국 마음의 병이 찾아왔습니다.

아이러니하게도 마음의 병이 생기자, 나라는 사람에 대해 생각하는 순간이 늘어나기 시작했습니다. 그때 비로소 제 기본 감정이 우울하다는 점, 나보다 타인을 돌보는 삶에 익숙했다는 점, 불안하고 예민하다는 점, 무엇보다 제가 알고 있는 감정이 별로 없다는 점을 알게 되었습니다. 그리고 그때부터 감정에 대해 관심을 많이 가지게 되었습니다. 이 시간은 이전보다 저를 더 풍요롭게 만들었습니다. 더 이상 나를 등한시하지 않으면서 타인을 진심으로 행복하게 돌볼 수 있게 되었습니다.

> *짊어지지 않아도 될 걱정을 들쳐 메고*
> *하루하루가 나아지길 바라던 때가 있었다*
> *그 마음이 무거워지다 결국*
> *아무것도 할 수 없는 기분이 들어*
> *그렇게 긴 시간을 항해하였다 - P.27*

나에게 상냥한 사람이 되자(중략)
노력을 거쳐 시간이 흐를수록
나는 여유로운 사람이 되었다 - P.30~31

이렇게 나라는 사람을 찾으면 삶은 더 행복해집니다. 하지만 종종 내가 정말 나답게 살아가고 있는 게 맞는지 의문이 들기도 합니다. 그 이유는 나라는 사람이 계속 바뀌기 때문인 것 같습니다. 내가 바뀔 때, 그 바뀜을 인식하고 다시 그것에 맞춰 나를 돌볼 수 있는 것이 나답게 사는 방법은 아닐까요? 어쩌면 아이를 돌보는 것처럼 스스로를 자주 돌보아야 하는 것 같습니다.

요 며칠 내가 옅어진 기분이었다
꽁꽁 숨기다 결국 머뭇거리며 스스로에게 묻는
'나는 지금 행복한가?'라는 질문이
순간을 의심하게 만들고
의심이 싹터 슬픔을 자아낸다 - P.79

저는 제가 희미해진 것 같은 순간이면 책을 읽습니다. 그렇게 책과 함께하는 나 자신과의 대화가 끝나면 기운이 솟아납니다. '오늘도 나를 위해 시간을 썼구나.'하는 생각에 뿌듯하고 행복합니다. 여러분들께도 나를 편안하고 선명하게 하는 무엇인가가 있으면 좋겠습니다.

(2) 〈이달의 마음〉 책수다 이야기

〈이달의 마음〉 책수다 모임 전,

브로콜리 오늘 모임 참여가 힘들 것 같아요. 아이가 안 자네요.

죄송해요.

토마토　괜찮아요. 아이가 그럴 때가 있죠. 천천히 재우세요.

　하루를 보내는 게 못내 아쉬운 마음이 드는 것은 어른만이 아닌 것 같습니다. 오늘은 아쉽게도 브로콜리는 아들 시금치군을 재워야 해서 참여하지 못하고, 가지, 당근, 토마토만 책수다 시간을 가졌습니다.

〈이달의 마음〉 책에 대한 감상

가지　저는 이 책을 읽으며, 음악과 함께 하고 싶은 생각이 들었어요. 〈브로콜리 너마저 - 춤〉이라는 노래가 생각났어요. 특히, 책 속에서 이런 문장이 있었어요.

　　　　아직은 나무들에 잎이 없어
　　　　조금은 거리가 황량하게 느껴지기도 하지만
　　　　아무렴 어때
　　　　마지막 춤을 추며 겨울을 보내주자 - P.25

　　　　'그림'과 '글'과 '춤'이라는 노래가 너무 잘 어우러지는 듯해서 좋았어요.

당근　아~ 그 노래 꼭 한 번 들어봐야겠네요.

토마토　저도요. 꼭 들어보고 싶네요.

가지　이 문장도 좋았어요.

　　　　너에게 나의 불안을 비춘 듯해 미안해
　　　　마침내 '여유롭다'라는 말이

억지가 아닌 날숨에 자연스레 나오고
긴장이 풀려 풀썩 쓰러지게 되는 날
불안이 여전히 내 곁에 있어도
난 둥둥 유영하며 자유로울 거야
나의 안녕을 빌어주어 늘 고마워 - P.55

그림과 함께 글을 읽으니 정말 둥둥 유영하며 자유로워
지는 느낌이었어요. 마음을 고스란히 대변한 듯한 느낌도
들었고요.

당근 책 자체가 억지가 아니고 너무 자연스러운 느낌이었어요.
가끔 여유도 없고, 숨쉬기도 힘들 때 자연스럽게 책을
읽으며 쉼을 가질 수 있을 것 같아요. 그림책이고 짧은
글인데 전혀 가볍지 않고, 깊이도 있고요.

토마토 맞아요. 그냥 친구랑 이런저런 이야기 하며 낙서하듯 그
린 그림같이 정감이 가고, 여백이 느껴져요. 자연스럽다
는 것은 참 어려운 일이죠. 그래서 자연스러움이 참 귀
해지는 것 같아요. 이 책은 자연스러워서 참 좋았어요.

내일을 위한 기대

당근 *살아가는 원동력이라는 건*
내일을 위해 재워둔 토마토 절임
내일을 위해 얼려둔 얼음
내일을 위해 우려둔 냉침차
냉장고 앞을 어슬렁거리다
'어서 내일이 왔으면' 하는 마음으로
잠에 드는 것이다 - P.93

이 부분을 읽으면서 저도 한번 해 보고 싶다는 생각이 들었어요. 그래서 '맛있는 것을 준비해 둘까?', '드라마나 책을 읽다가 기대가 되는 부분이 시작될 때 책을 덮고 내일 읽을 기대를 해 볼까?' 하는 생각도 했어요.

오래 살수록 인생은 아름답다?

토마토   *여유가 담긴 눈으로 바라보고*
여유로운 마음으로 다정을 표현하고
아름답고 재밌는 것을 담으러 떠났다
세상엔 즐거운 것이 많구나 - P.31

인생은 살수록 정말 더 아름답게 느껴지는 것 같아요. 똑같은 상황을 겪더라도 나이를 먹으면서 어떤 순간이든 당연하지 않고, 얼마나 귀한 것인지 알아차리게 되는 듯해요. 순간의 감사함도 알게 되고, 보이는 것이 더 많아지는 느낌이 들어요.

당근   맞아요. 나이가 들수록 마음에 여유가 더 생겨요.

가지   저는 좀 달라요. 나이를 먹을수록 좀 더 아름답지 않다는 느낌이 들어요. 불안하기도 하고, 어떻게 살아갈 것인지 더 고민이 되고요. 오히려 어렸을 때는 덜했던 것 같아요.

토마토   그럴 수 있어요. 나이를 먹으면서 불안해지는 부분들이 어린 시절과는 좀 다른 것 같아요.

가지   저는 자유롭게 살고 싶어요. 그런데 자유를 추구하다 보면 안정이 보장되지 않는 듯해요. 다른 나라에서도 살아 보고 싶고, 변화하면서 여행하는 삶을 살고도 싶어요.

토마토   가지님은 여행을 정말 좋아하시는 것 같아요. 이전에도 여행 다녀오셨다고 했고요.

가지   네. 저는 여행이 좋아요. 자유로운 삶과 안정적인 삶 사이에 늘 고민이 있는 것 같아요. 직업도 그렇고, 하고 싶은 것을 자유롭게 하고 싶은데, 그럴 수만은 없어서 고민돼요. 하지만 정말 그냥 자유로운 삶을 살고 싶어요.

당근   저는 여유 있는 삶이요. 마음의 여유를 가지고 베풀 수 있는 삶을 살고 싶어요. 생각해 보니, 책수다 모임을 하며, 삶의 방향과 나의 행복 등의 질문에 대한 저의 답이 일관되었던 것 같아요. 저는 늘 포용력, 넓은 마음, 여유 같은 것에 가치를 두고 있었어요.

토마토   저도 방금 그 생각이 들었어요. 당근님은 '사람들을 넓게 품어주는 사람이 되고 싶으시구나.' 하는 생각이 들었어요. 정말 이전의 답변들이 일관되게 그 방향이었어요.

당근   정말 그렇네요.

토마토   우리는 퇴사했잖아요. 다음 방향은 잡으셨어요?

당근   아직 찾는 중이에요. 이전에 블로그 강의도 했었는데, 수강생이 실행을 안 하면 효과를 보기 힘들잖아요. 그리고 강의 주제도 제가 원하는 가치관과는 다른 것 같았고요. 그래서 어떤 방식으로 나의 가치를 사람들에게 전할까 계속 고민하고 있어요. 그리고 이제 다시 인스타그램 계정도 더 활성화해서 영향력을 키워나가려고요.

토마토 그렇군요. 저도 이것저것 시도해 보니, 확실히 저와 맞는 것과 맞지 않는 것이 가려지는 것 같아요. 저는 글을 쓰는 것이 좋아요. 블로그에 글을 쓰다 보면 힐링도 되고, 해소도 되는 듯해요. 책방을 운영하며, 상담도 하고, 글도 쓰는 그런 삶을 살고 싶어요.

〈이달의 마음〉 책수다를 마무리하며

토마토 우리는 책수다 모임이 끝날 때마다 그날 모임에서 가장 인상 깊었던 점을 한 가지씩 이야기하는데요. 그렇게 하니 다시 한번 생각을 정리할 수 있고, 생각해 본 것들이 더 오래 기억에 남는 것 같아요.

가지 저는 오늘은 '삶의 방향성'에 대한 질문이 좋았어요. 다시 생각해 봐야겠다고 다짐했어요. 내가 어떤 삶을 살고 싶은지 좀 더 구체적으로 고민해 봐야겠어요.

당근 저도 '어떤 삶을 살고 싶은가?'라는 질문이 인상적이었는데, 책수다 모임을 하며, 지금까지 받았던 다양한 질문들에 대한 저의 답변이 일관되었다는 것을 알게 되어 신기했어요.

토마토 저는 고민을 하는 것이 같아 공감과 위로를 받았던 시간이었던 것 같아요. 어떻게 살아야 할지에 대한 방향성의 고민, 구체적인 행보에 대한 고민을 비슷비슷하게 가지고 있네요. 이런 고민을 진솔하게 나누는 것이 참 좋다는 생각이 들었어요.

〈이달의 마음〉 모임이 끝난 후

당근 브로콜리님. 추천하신 책 너무 좋아서 친구에게 선물하려고 해요. 좋은 책 추천해 주셔서 감사해요.

브로콜리 읽은 책을 선물하고 싶은 마음이 너무 좋네요. 좋았다니 저도 기뻐요.

당근 다음 주는 시금치군이 일찍 자기를 기도할게요.

브로콜리 다음 주에는 안 자면 같이 책 읽고 참여할게요.

토마토 시금치군은 언제나 환영입니다.

지금까지 자유로운 삶을 살고 싶은 가지, 여유 있는 삶을 살고 싶은 당근, 책방에서 글 쓰는 삶을 살고 싶은 토마토, 시금치군의 빠른 숙면을 고대하는 브로콜리였습니다.

4. 결혼과 육아는 소란한 행복이다.

(1) 〈하고 싶은 대로 살아도 괜찮아〉 당근의 책 이야기

제목만 보고 추천했던 책 〈하고 싶은 대로 살아도 괜찮아〉는 윤정은 작가의 에세이입니다. 제 인생 책 〈메리골드 마음 세탁소〉를 읽으면서 작가님의 문체가 너무 좋았어요. 그래서 집필하신 책 중 제목이 가장 마음에 와닿는 이 책을 구매해 두었다가 채소사총사와 함께 이야기 나누고 싶어서 추천한 책이랍니다.

이 책은 윤정은 작가님이 아이를 출산할 시점부터 여러 상황 속에서 떠올렸던 생각을 담은 에세이예요. 단 한 번밖에 없는 인생이니 가장 나다운 삶을 선택해 행복하게 살아도 괜찮다는 위로의 말들이 가득했죠.

> *타인이 보기엔 안정적이고 조화롭고 행복해 보일 수 있지만 늘 가슴 한 구석이 답답했다. - P.7*

어쩌면 저처럼 '보여주는 삶'을 사는 사람들에게도 많이 와닿을 것 같은 책이에요. 좋은 사람으로 보이기 위해 웃고 싶지 않아도 항상 잘 웃고, 내 의견을 표현하기보다 타인에게 잘 맞춰줬어요. 정작 스스로 어떤 것을 원하는지 한 번도 물어본 적이 없었죠. 아무 생각 없이 펼쳐 본 이 책에서 그런 저의 모습과 비슷한 작가님의 상황들을 보니 더 감정이입이 되더라고요. 책에서는 며느리, 출산, 육아, 남편과의 관계 등 어쩌면 아주 사소하고 민감할 수 있는 상황에 대하여 덤덤하고 담백하게 표현하고 있어요. 그리고 그런 작가님의 문체에서 위로를 많이 받았어요.

독서하면서 책을 쓰고 싶다는 욕심이 생겼지만, 나의 솔직한 생각을 표현한 글로 인해 '가족이나 지인이 상처받지 않을까?' 하는 걱정이 많이 컸었어요. 이런 이야기를 어떻게 이렇게 담백하게 꺼내놨는지 본인에게 솔직한 모습이 너무 부럽고 대단하다는 생각이 들었습니다. 저도 언젠가는 꼭 윤정은 작가님처럼 이런 글을 써보고 싶어요.

> *무엇을 하고 싶은지는 모르겠지만 무언가를 하다 보면 하고 싶은 게 생각날 거라는 기대를 갖고서. (중략) 원래부터 하고 싶은 게 없던 사람처럼 자기의 꿈은 고이 접어 둔 채 달리고 또 달리다 멈추는 순간, 화이트아웃 현상이 발생한다. 아무 생각도 나지 않고 머릿속이 하-얗다. - P.83*

현실을 살면서 나에게 돈 버는 일 이외의 다른 것을 할 시간을 준 적은 없었어요. 그렇다 보니, 시간적 여유가 생겨도 막상 뭘 해야 할지 모르겠더라고요. 하고 싶은 것도, 열정이 생기는 것도 떠오르지 않았어요. '어쩌면 나도 화이트아웃이 아니었을까?' 하는 생각이 들더라고요.

> *'결혼한 여자니까'라는 강박과 책임감 때문에 가능한 모든 에너지를 쏟아 맡은 역할에 집중했다. - P.169*

요즘 세상에 결혼했다고 달라질 필요가 있을까 싶겠지만, 막상 결혼해 보니 스스로 생각했던 역할들을 모른척하기 어려웠어요. 양가를 잘 챙기는 센스있는 며느리와 맏딸의 역할, 일도 잘하면서 집안일도 잘하는 아내가 되고 싶었어요. 지금까지 한 번도 해 보지 않았던 이 많은 역할을 소화하려고 하니 더 힘들었던 터라 책에서 말하는 '반지를 빼 아무것도 걸리는 게 없는 홀가분함'이라는 문장이 너무 공감되었어요. 그리고 '결혼한 여자'이기에 따르는 역할을 모두 잘 소화해야 한다는 집착에서 벗어나야겠다고 생각했어요. 역할에 대한 집착을 살짝 내려 놓아도 아무 일 없고, 오히려 그것이 나를 위한 일임을 이제는 알 수 있을 것 같아요.

결국, 이 책은 '있는 그대로의 나를 사랑하며 하고 싶은 대로 하고 살아도 괜찮다'는 메시지를 담고 있어요. 저는 최근에 나다움에 가장 관심이 많았어요. 그래서인지 의도한 것은 아니었는데, 고른 책마다 '나답게 살아도 괜찮다'는 메시지를 전하고 있었어요. 마치 운명처럼 느껴졌습니다. 특히, 이 책은 나답게 살기 위해 어떤 마음을 가져야 하는지, 단단한 마음을 갖기 위해선 어떤 태도가 필요한지를 모두 담고 있는 책이라 더 좋았어요. 결혼한 나도, 아이를 낳은 나도, 결국은 나라는 것을 잊지 않으면 하는 친구들에게 선물하기도 좋은 책이고 현재 결혼하고 아이가 있는 엄마들에게도 큰 용기를 줄 수 있는 책이라고 생각합니다.

(2) 〈하고 싶은 대로 살아도 괜찮아〉 책수다 이야기

〈하고 싶은 대로 살아도 괜찮아〉 책수다를 시작하며

　오늘은 브로콜리의 아들 시금치군이 등장했습니다. 4살 시금치군의 귀여운 비주얼과 야무진 자기소개는 이번 책수다의 활력이 되어주었습니다.

시금치군	안녕하세요~
토마토, 당근	와~~~ 너무 귀여워요.
시금치군	저는 개구쟁이예요.
토마토, 당근	(빵 터짐)
시금치군	그리고 저는 엄청 빨라요~
토마토, 당근	오구오구~ 그랬어요? (웃음)
시금치군	보여줄까요?
토마토, 당근	(토마토 둥절, 당근 둥절) ?
브로콜리	보여준다고 달려 나갔어요. (웃음)
토마토, 당근	(빵 터짐)
토마토	오늘 책이 어떻게 보면 육아 에세이인데, 생동감 있게 책의 감상을 나누기에 너무 좋았던 시금치군의 등장이었

네요.

가지 저는 지금 퇴근하는 길이라서 지하철에서 참여 중이에요. 말을 잘 못하더라도 양해 부탁드려요.

(가지님은 카메라에 이마만 보임)

토마토 가지님. 이마 미남이시네요. 퇴근 후 이동 중에 이렇게 함께하는 것도 이색경험이네요. 정말 오늘 책수다는 자연스러운 생동감이 느껴져서 왠지 더 좋네요.

〈하고 싶은 대로 살아도 괜찮아〉 책에 대한 감상

브로콜리 당근님. 오늘 책 너무 좋았어요. 정말 책을 읽으면서 공감과 힐링 그 자체였어요. 좋은 책 알려주셔서 정말 감사해요.

토마토 저도 읽으면서 브로콜리님 생각났어요. 브로콜리님이 책을 읽으면서 힐링 될 것 같다고 생각했어요.

당근 이 책은 〈메리골드 마음 사진관〉의 윤정은 작가님 에세이라고 해서 정말 우연히 구매했거든요. 제가 〈메리골드 마음 사진관〉을 정말 재미있게 읽어서 에세이도 기대되었어요. 덤덤하게 묵직한 이야기를 풀어내는 작가님의 방식이 정말 멋진 것 같아요. 이전에는 에세이를 쓰면 주변의 누군가에게 상처가 될 수도 있을 것 같아 쓰지 말자고 생각했어요. 그런데 이 책을 읽으니, 이렇게 써보고 싶다는 생각이 들었어요.

토마토 저는 이 책을 온라인 중고로 구매했는데, 배송 예정일이 되어도 책이 안 오는 거예요. 그래서 택배회사에 전화했더니, 배송이 지연된다고 해서 급하게 서점으로 가서 한 권을 더 샀어요. 덕분에 이 책이 두 권 생겼어요.

당근 어머, 온라인 중고를 개인에게 구매하면 배송 일정이 지연되는 경우가 종종 있더라고요.

토마토 차라리 잘 되었어요. 친구에게 선물해야겠어요. 육아 중인 친구에게 선물하면 위로도 받고, 공감도 되어 좋아할 것 같아요. 이전에 당근님이 추천해 주신 책도 친구에게 선물했더니, 친구가 너무 좋다며 만족해했거든요.

당근 다행이네요. 친구분도 좋아하셨다니 너무 뿌듯하네요.

가지 저도 이 책이 육아에 관한 이야기가 주를 이루지만, 공감 가는 묘사들이 많아서 '이럴 수 있겠구나.'하는 생각이 들었어요. 그리고 원하는 삶을 살아간다는 메시지는 육아 중이 아니어도 충분히 공감 가는 부분이라서 책을 읽으며 좋은 시간을 보낼 수 있었어요. 특히, 샴페인 병이 깨지며, 유리 조각이 바닥에 퍼지는데, 아이는 보호해야겠고, 밥을 먹여야겠고…. 정신없이 흐르는 상황에 대한 묘사는 정말 그 일을 겪은 듯 빠져들었어요.

토마토 맞아요. 상황에 대한 묘사가 이 책의 몰입감을 높여주는 것 같아요.

당근 저는 책 속에 이 문장에 와닿았어요.

완벽하지 않아도 괜찮아. 좋은 며느리, 좋은 딸로 살다 간 내가 힘들어 죽겠는데. 좀 놓고 살면 안 될까? - P.71

결혼하니 맡겨진 역할들이 더 많이 생겼죠. 이 역할들을 다 잘 해내는 건 여간 힘든 일이 아닌 것 같아요.

가지 저는 이 문장이 와닿았어요.

그러고 보니 살아간다는 건. 해야 할 연습투성이구나 - P.56

토마토 맞아요. 살아간다는 건 끝없는 연습인 것 같아요. 결혼도 처음이고, 엄마도 처음, 5살 아이의 엄마도 처음, 초등학생 학부모가 되는 것도 처음이고, 둘째가 생기면 또 둘째 엄마도 처음일 거잖아요. 뭐든 처음이고, 이제 되었다 싶다가도 또 연습해야 할 일들이 다가오는 것 같아요.

브로콜리 저는 프롤로그부터 마음에 들었어요. 책 속에서 아이가 엄마를 좋아하는 것에 대한 글이 있었는데, 아이가 엄마를 제일 좋아하는 것은 정말 감사한 것 같아요. 아이가 잘 때, 아이를 보면 여러 가지 생각이 들잖아요. 예전에는 죄책감, 미안함이 들었는데 요즘에는 감동이 더 많이 드는 것 같아요. 아이가 커 가는 것과 아이와 함께하는 일상은 감동을 주는 일들이 참 많은 것 같아요.

당근 저는 이 문장도 좋았어요.

만약 결정한 일이 잘못되더라도 스스로 결정한 일에 책임을 지는 태도를 지니는 게 성숙한 어른 아닐까 - P.137

의존하는 것에서 벗어나서 두려워도 스스로 결정하는 것

이 중요한 듯해요.

토마토   맞아요. 정말 공감해요. 그리고 책 후반부에 있었던 이 부분도 정말 와닿지 않았어요? 아이 하나만 있는데, 주변에서 '둘째가 있어야 한다.', '혼자면 외롭다.', '딸이 있어야 한다.', '딸이 없으면 엄마가 나중에 외롭다.' 이런 말들 하는 것이요. 책에서는 이 정도면 폭력이라고 하는데, 저도 그 말에 공감이 되었어요.

나의 연애 이야기

토마토   오늘은 우리의 연애 이야기를 한번 나눠보면 어때요?

당근   저는 남편 만나기 전에 만났던 남자 친구가 저를 좀 힘들게 했어요. 소개팅에서 만난 지금의 남편은 왠지 모르게 믿음직스러웠고, 만난 지 6개월 만에 결혼을 결정했어요. 이상형은 이종석같이 길고, 하얗고, 마른 남자인데, 남편은 전혀 다른 느낌이에요. 선도 굵고 남자다운 느낌이죠.

브로콜리   저는 남편과 고등학교 동창이에요.

토마토   그럼, 고등학교 때부터 만나셨으면, 지금까지 얼마나 되신 거예요? 20년 정도 된 거 아닌가요?

브로콜리   음…. 20년은 좀 안 되고, 16년 정도?

당근   고등학교 때부터 16년이면, 노부부 같겠는데요?

토마토, **브로콜리**	(빵 터짐)
토마토	첫사랑이시겠네요?
브로콜리	음…. 첫사랑은….
토마토	첫사랑은 아닌가요?
브로콜리	첫사랑이라고 하기에는 왠지 부끄러워져서요. (웃음)
토마토	가지님은 지금 지하철 안이죠? 3호선 환승 방송 나오는데 환승하셨네요. (웃음)
가지	(가지둥절) 지하철은 맞는데, 저는 환승은 하지 않았어요.
토마토	(웃음) 그렇군요. 가지님은 미혼이니깐, 이상형에 관해 이야기해 주실 수 있겠어요? 지하철이지만….
당근, **브로콜리**	(빵 터짐)
가지	저는 이전에 만난 친구가 감정 기복이 좀 있었거든요. 그래서 감정 기복이 좀 덜하고 긍정적인 사람이 좋아요. 좋은 생각으로 중심이 잡힌 사람이었으면 좋겠어요.
토마토	지하철에서 기꺼이 이상형을 이야기해 주셨네요. (웃음) 저는 남편을 탱고 동호회에서 만났어요. 연애할 때, 남편이 차에서 제 퇴근을 기다리고 있는데, 일 마무리가 늦어져서 마음이 조급해지더라고요. 그런데 남편이 정말 괜찮다며 천천히 하라고 말해줬어요. 말만 그런 게 아니라 정말 괜찮은 것처럼 느껴져서 좋았어요. 이전 책수다

에서 좋은 어른에 관해 이야기했잖아요. 저는 제 남편이 좋은 어른이라고 생각해요. 제 이상형은 책에서처럼 존경할 수 있는 사람인데, 저에게 제 남편이 그런 사람이거든요. 그래서 저는 이상형과 결혼한 것 같아요.

결혼에 관한 생각

당근 결혼 후 여러분은 무엇이 달라졌는지 궁금해요. 저는 결혼을 하면 어른이 될 것 같았어요. 드라마틱하게 안정적인 삶이 되고요. 하지만 호칭만 달라졌지, 별로 달라진 점은 없는 것 같아요. 역할이 늘어나고, 구속하는 것들이 생겼죠. 여러분은 어떠신 것 같아요?

브로콜리 공감해요. 오랜 시간을 함께해 왔어도 결혼 후 생각지 못한 갈등 요소들이 생기는 것 같아요. 많은 역할이 부여되기도 하고요.

가지 저는 미혼이지만, 결혼은 하고 싶어요. 아이는 아직은 자신이 없지만, 결혼하면 평생 함께할 친구가 생기는 느낌일 것 같아요.

토마토 저는 결혼은 선택이라고 생각하지만, 추천은 하고 싶어요. 결혼과 육아만큼 저를 성장하게 하는 것은 없어요. 남편과 정말 많이 싸웠는데, 힘들어도 결혼했으니 어떻게든 맞춰서 살려고 노력하게 되잖아요. 그렇게 맞춰 가다 보니 관계나 사람에 대한 이해 폭이 조금은 더 넓어진 것 같아요. 그리고 성장한 만큼 생각지 못했던 행복과 만족을 느낄 수 있어서 저는 참 좋았어요. 확실히 든든하고요.

〈하고 싶은 대로 살아도 괜찮아〉 책수다를 마무리하며

토마토 가지님. 오늘 이동 중에 책수다 참여하셨는데 어떠셨어요? 괜찮았어요?

가지 저는 너무 좋았어요. 그런데 제가 이동 중이라서 말하는 데에 제한적이어서, 양해 부탁드려요.

토마토 괜찮아요. 대신 다음에도 지하철에서 이야기하기 곤란한 질문이라도 반드시 꼭 하나씩은 답변하는 것으로 약속!

**당근,
브로콜리** (빵 터짐)

가지 (가지 당황) 네. 그럴게요. (웃음)

오늘 책수다 모임은 채소사총사 가족과 일상이 함께해서 한층 더 풍성해졌습니다.

지금까지 퇴근하는 이마 미남 가지, 이종석이 이상형인 책 추천 장인 당근, 시금치군의 엄마이자 노부부인 브로콜리, 지하철에서 가지를 곤란하게 할 질문을 고민하는 토마토였습니다.

[두 번째 인터뷰] 독서가 만든 변화

1. 토마토

Q. 인생 책은 무엇인가요?

A. 첫 번째 인생 책은 빅터 프랭클 〈죽음의 수용소에서〉입니다. 삶의 의미, 삶의 태도를 변화시킨 책이에요. 어쩔 수 없는 상황에서 내가 선택할 수 있는 것은 그것에 임하는 나의 태도를 바꾸는 것이며, 피할 수 없는 삶의 시련이 다가올 때는 그 시련이 나에게 어떤 의미가 있을지를 생각하게 되었어요. 축복에도 의미가 있는 것처럼 시련에도 의미가 있다고 생각하면 그 시련을 조금은 더 받아들일 수 있더라고요.

두 번째 책은 한강 〈채식주의자〉입니다. 인간과 모든 존재하는 것들의 폭력성, 잔혹성을 생각해 본 책이에요. 저도 모르게 저질렀던 폭력적인 말과 행동을 반성하고, 이를 경계해야겠다고 마음먹었으며, '보통의', '정상적인'이라는 틀에 갇혀 판단하지 않으려 합니다.

세 번째 책은 도스토예프스키 〈죄와 벌〉입니다. 인간의 죄의 시작과 그에 따른 벌의 방식에 관해 사유한 책입니다. '세상에 불필요한 인간이 있을까? 그 인간이 없어지는 것이 좋을까? 벌을 받아 마땅한 이들은 어떤 벌이 가장 가혹할까?' 하는 생각이 들었습니다. 책을 읽고 '어떤 명분으로든 죄는 결국, 죄다.'는 생각과 함께 나를 힘들게 하는 이들을 복수하고 원망하며 내 아까운 삶의 순간을 갉아먹기보다는 그들을 그저 내 삶 속에서 배제해야겠다는 생각이 들었습니다.

네 번째 책은 정혜신 〈당신이 옳다〉입니다. 내 안에 나를 불편하게 하는 부정적인 감정들을 받아들이게 한 책입니다. 부정적 감정을 가진다는 것을 수치스러워하지 않아도 되며, 그것을 어떻게 표현하고 행동하고, 대처하느냐가 중요하다고 생각을 정리하게 되었습니다.

다섯 번째 책은 자청 〈역행자〉입니다. 스스로 그어 놓은 한계의 선에서 벗어나야겠다는 생각으로 저를 움직이게 한 강력한 책이었고, 이 책을 통해 책과 글쓰기가 제 인생에 더 깊숙이 들어왔습니다.

2. 당근

Q. 어떻게 책을 읽기 시작하셨나요?

A. 20대 초반에는 고민이 있거나 답답할 때 책 구경하는 것도 좋아했고 서점의 책 향기도 좋아해서 종종 가서 시간을 보내곤 했어요. 그런데 어느 순간 문득 '책 속엔 내가 원하는 답이 없구나.' 하는 생각이 들었어요. 자기계발서는 다 똑같은 이야기만 한다는 어리석은 생각을 하며 10년 넘게 책에 관심을 가지지 않았습니다.

그렇게 그냥 살아지는 대로 '남들과 똑같이만 살자.' 하는 마음으로 평범하게 살고 있었는데, 저보다 더 책을 안 읽던 친구가 책을 읽으면서 성격부터 마인드, 직업까지 싹 바뀌는 과정을 보게 되었어요. 그 후 다시 책에 관심이 생겼고, '나도 책을 읽으면 나다움을 찾고, 내가 원하는 사람으로 성장할 수 있을까?' 하는 호기심 반, 기대 반으로 더 진지하게 독서를 시작했습니다.

책 속에 참 많은 이야기가 공감이 가기도 하고, 깨달음을 주기도 해요. 장르와 전혀 관계없이 어디서든

영감을 얻고 나의 꿈을 발전시킬 수 있다는 게 참 신기해요. 누군가는 늦었다고 생각할 나이인 35살이 이렇게 희망차고 반짝이는 나이가 될 줄 누가 알았겠어요?

Q. 인생 책은 무엇인가요?

A. 윤정은 〈메리골드 마음 세탁소〉예요. 최근에 후속 작인 〈메리골드 마음 사진관〉까지 두 권 모두 저의 인생 책이 되었어요. 두 책 모두 큰 주제는 '현재의 행복'입니다.

과거의 힘들었던 기억 때문에 현재의 행복을 놓치고 있진 않은지, 더 크고 이상적인 행복을 찾으려 일상 속 소소한 행복을 외면하고 있는 건 아닌지 더 깊게 고민할 수 있었어요.

그리고 최명화 〈나답게 일한다는 것〉은 제가 가장 고민해왔던 나다움에 대해 깊이 생각해 볼 수 있어서 오래 기억에 남아요.

3. 브로콜리

Q. 어떻게 책을 읽기 시작하셨나요?

A. 우연히 살림 스터디를 시작했고, 거기서 자기 계발을 꼭 하라고 권했어요. 그때 선택한 것이 독서였는데, 하고 싶어서 했다기보다는 할 것이 없어서 제시되어 있던 독서를 골랐던 거죠. 다른 분과 다르게 하루에 한 소제목씩, 약 10분씩 읽었어요. 그렇게 독서를 시작해서 재미가 붙었고, 독서가 취미로 자리 잡게 되었어요.

Q. 인생 책은 무엇인가요?

A. 먼저, 이다희 작가님의 독서 에세이 〈순종과 해방 사이〉입니다. 여성이 결혼하고, 사회생활을 하고, 성장하면서 겪는 어려움을 독서를 통해 답을 찾는 과정이 담겨있어요. 이 책을 읽고 처음으로 시아버님께 하고 싶은 말을 할 수 있게 되었고, 시댁에 가는 것이 편안해졌어요.

두 번째로 토니 로빈스 〈네 안에 잠든 거인을 깨워라〉입니다. 이 책은 800페이지의 엄청난 두께를 자랑하는 벽돌 책으로 책을 읽고 감정을 긍정적으로 변화시킬 수 있었습니다.

마지막으로 박웅현 〈여덟 단어〉입니다. 이 책은 작가님의 8번의 강연을 묶은 책입니다. 처음부터 끝까지 제 머릿속에 담아두고 싶은 책이었습니다. 인생을 살아갈 때 이렇게 살아간다면 너무 행복할 것 같았습니다.

Q. 책을 읽고 나서 생긴 변화가 있나요?

A. 책을 읽으면서 육아 우울감이 사라졌어요. 40개월간 가정 보육을 하고, 남편의 직장 문제로 어쩔 수 없이 혼자 육아했는데, 그 시간이 많이 외롭고 힘들었어요. 그래서 육아 우울감이 반복적으로 생겼고, 상담을 받아도 제자리였어요. 그러다가 독서와 글쓰기를 함께 했는데, 한 달 만에 좋아지더라고요. 독서 시작 후 3개월 만에 상담을 종결했고, 더 이상 상담이 필요한 상태로 되돌아가지 않고 있습니다.

4. 가지

Q. 어떤 스타일의 책을 좋아하세요?

A. 저는 독자가 상상하게 만들어 주는 책을 좋아해요. 그래서 자기계발서나 비문학보다는 소설과 같은 문학 작품이 더 끌리더라고요.

어린 시절 〈해리포터〉나 〈삼국지〉, 〈열국지〉, 〈반지의 제왕〉 같은 시리즈물을 많이 읽었어요. 이런 경험이 지금도 영향을 줘서 소설을 계속 읽게 되는 것 같아요. 성인이 된 지금은 판타지 소설이나 역사소설보다는 순수문학을 자주 읽습니다. 소설이나 에세이 위주죠. 추천하고 싶은 책은 최은영 〈내게 무해한 사람〉, 〈밝은 밤〉, 천선란 〈나인〉, 무라카미 하루키 〈노르웨이의 숲〉, 그리고 박연준 〈소란〉입니다.

Q. 어떻게 책을 읽기 시작하셨어요?

A. 저는 어릴 때부터 혼자 노는 것을 좋아했어요. 집에 혼자 있는 시간이 많다 보니 책을 읽으며 공상에

빠지는 시간도 많았어요. 유년기 시절부터 자연스럽게 책과 친해진 셈이죠.

하지만 중학교 3학년부터 본격적으로 공부를 시작하면서 즐거움을 위한 독서와는 멀어지고, 공부를 위한 독서 위주로 책을 대하게 되더군요. 그러다 작가라는 꿈이 생기고부터 다시 책을 읽게 되었습니다.

Q. 인생 책이 무엇인가요?

A. 현재 제 인생 책은 J.K.롤링 〈해리포터〉입니다. 〈해리포터〉를 읽으면서 상상력을 키웠고, 점차 독서 영역을 넓힐 수 있었어요.

사실 저의 인생 책은 정해져 있지 않아요. 항상 바뀌는 게 인생 책이거든요. 제 기준은 상상과 따뜻함입니다. 그 기준에서 봤을 때 윤정은 〈메리골드 마음 세탁소〉나 유영광 〈비가 오면 열리는 상점〉이 후보가 될 수도 있겠네요.

Q. 채소사총사의 인생 문장을 알려주세요!

1. 토마토
왜 살아야 하는지를 아는 사람은 그 '어떤' 상황도 견뎌낼
수 있다. - 니체
- 빅터 플랭크 〈죽음의 수용소에서〉

2. 당근
인생에 어떤 큰 사건이 일어나야만 행복한 건 아닌데. 살아
있는 이 순간, 바람이 불고 해가 뜨고 밥을 먹고 친구와 이
야기하고 할 일이 있는, 때론 아프고 슬프고 이유 모를 짜증
이 몰려오는 지금이 행복임을 해인은 여행을 떠나와 느꼈다.
- 윤정은 〈메리골드 마음 사진관〉

3. 브로콜리
내가 그의 이름을 불러주었을 때
그는 나에게로 와서
꽃이 되었다.
- 김춘추 〈꽃〉

4. 가지
"금옥아, 나는 나인이야. 아홉 개의 새싹 중에 가장 늦게 핀
마지막 싹이라 나인이 됐어. 더는 생명이 태어날 수 없는 척
박한 땅에서 나는 가장 마지막에 눈을 떴어."
그러니까 나인은, 기적이라는 뜻이야.
- 천선란 〈나인〉

이토록 다정한 독서모임
채소사총사의 책수다

PART 3
진짜 나와
만날 수 있는 책

Part 3. 진짜 나와 만날 수 있는 책

1. 나는 왜 마음이 아플까?

(1) 〈유년기를 극복하는 법〉 브로콜리의 책 이야기

여러분은 정말 싫어하는 나의 모습이 있나요? 저는 주로 저의 미숙한 부분을 좋아하지 않습니다. 〈유년기를 극복하는 법〉은 〈불안〉의 저자인 알랭 드 보통 기획, 인생 학교가 지은 심리서입니다. 인생 학교는 알랭 드 보통이 주축이 되어 만든 프로젝트 학교입니다. 내가 싫어하는 나의 미숙한 부분은 어쩌면 유년기의 결핍에서 비롯된 것은 아닐지 이 책을 읽으면서 돌아보고 싶었습니다.

> *우리는 양육자를 사랑했기에, 그가 화를 내면 자신이 잘못했다고 느끼며 소심하고 비굴하게 굴었다. - P.29*

우리는 왜 상처받게 되었을까요? 아이를 키워보니까 아이들은 주 양육자의 감정 상태나 행동에 따라 생각하고 판단할 수밖에 없다는 생각이 많이 들었습니다. 그렇기에 우리는 주 양육자에게 영향을 많이 받았을 것이고 그 속에서 크고 작은 상처를 받았을 것입니다.

우리가 심술궂고 까다롭게 굴 수 없었기에, 우리는 필요한 만큼 제멋대로 행동하지도, 공격적이고 옹졸하고 이기적이지도 못했다. - P.48

우리가 죄책감 없이 완전한 참자아가 되려면 우리를 돌보는 사람이 한시적으로나마 온갖 불편과 노고를 감내하고, 전적으로 우리의 필요와 욕구에 맞춰주어야 한다는 논지였다. - P.49

성장이 무난하게 진행되면 아이는 원만하게 거짓 자아를 형성한다고 합니다. 거짓 자아라는 것은 외부 현실의 요구에 따라 행동하는 능력입니다. 이때 참 자아의 중요성이 드러납니다. 참 자아가 될 기회를 이미 누렸다면 자신의 욕구를 고집할 필요가 없다는 것입니다. 과연 우리는 참 자아를 충분히 누렸을까요? 책에 따르면 다수의 사람은 이상적인 유년기를 경험하지 못한다고 합니다. 그 결과 우리는 일찍부터 순응하고, 희생하며, 순종적인 아이가 된다고 합니다. 여러분은 어떠신 것 같나요?

불안의 악순환을 끊으려면 무엇보다도 우리가 스스로 비참해져도 싸다고 여기는 자기혐오자처럼 행동하고 있으며, 그렇게 자기비판을 하다 보면 앞으로도 부정적인 자아상을 갖게 된다는 인식이 선행되어야 한다. - P.56

칭찬은 언뜻 아이에게 엄청난 자신감과 안정감을 불어넣을 것처럼 보인다. 하지만 아직 자기 외투 단추도 제대로 채우지 못하는 아이가 이처럼 거창한 기대를 받으면 오히려 공허감과 극심한 무력감에 빠질 수 있다. - P.61

책을 읽으며 저의 유년기와 함께 제 아이의 현재 진행형인 유년기도 생각해 봤습니다. 제가 유년기에 무심코 받았던 상처처럼 저의 작은 행동이 아이에게 어떤 상처가 될 수도 있을 것입니다. 특히 '한시적으로나마 온갖 불편과 노고를 감내하고'라는 부분은 저를 많이 반성하게 했습니다. 이 말이 부모가 무작정 희생하고 참으라는 말이 아니라, 불편과 노고를 진정으로 견뎌내기 위해서 마음의 여유를 가질 수 있도록 자신을 돌보라는 위로의 말이었기 때문입니다.

무난히 성장한 아이는 두 인물을 통합해 나가는 느리고 힘겨운 과정을 거쳐, 마침내 '완벽'하고 이상적인 엄마는 없다는 슬프지만 현실적인 깨달음에 이른다. - P.72

육아하면서 가장 많이 느끼는 점은 스스로를 위로하는 것이 중요하다는 것입니다. 처음에는 '아무도' 나를 위로해 주지 않는 것 같아 외롭고 힘들었는데, 그 '아무도'에 '나'도 포함되어 있었던 것을 그 당시에 미처 깨닫지 못했습니다. 그래서 저는 요즘 저에게 충분한 위로를 합니다. 힘든 순간에는 힘들다는 것을 위로하고, 해결책이 없을 때는 해결 방법을 찾도록 독려합니다. 여러분은 스스로를 얼마나 위로하시나요? 누군가의 위로를 기다리고 있다면 자신이 먼저 그 위로를 시작해 주시면 좋을 것 같습니다.

달콤씁쓸한 추억을 받아들인다는 것은 양면성을 수용하는 것, 하나의 사건에 대해 전혀 다르고 모순되는 두 가지 감정을 어느 쪽도 거부하지 않고 포용하는 것이다. 양쪽 모두 중요하며 부정할 수 없는 감정이다. - P.126

우리에게는 언제나 달콤한 순간만 존재할 수 없을 것입니다. 그리고 지난 과거라면 더더욱 그렇겠지요. 그 과거들을 달콤씁쓸하게 느낄 수 있도록 과거의 나를 치유하고, 현재의 나를 더 사랑해 봅시다.

(2) 〈유년기를 극복하는 법〉 책수다 이야기

채소사총사의 근황 이야기

토마토　저는 요즘 책을 쓰고 있어요. 책을 쓴다는 것이 버킷리스트이긴 했지만 정말 힘든 작업이네요. 요즘 매일 울고 있어요. 힘들고 불안해요. 잘하는 것인지, 이렇게 노력해서 쓴 책이 누군가에게 도움이 될 수 있을지, 한 사람의 마음에라도 감동을 줄 수 있을지 걱정스러워요. 아침부터 울고, 저녁에도 울고, 시도 때도 없이 울고 있어요.

브로콜리　저도 요즘 책을 쓰기 시작했어요. 부지런히 쓰고 있어요. 소설은 아니고 자기계발서에 가까운데, 쓰면서 다시금 정리하는 기회가 된 것 같아요.

토마토　당근님. 요즘은 지하철에서도 책을 읽으며 촬영하시던데 대단하세요.

당근　책 읽는 장면을 촬영할 때 사람들이 쳐다보길래 너무 부끄러워서 1분 만에 빨리 찍고 카메라를 집어넣어요. 결과물 속에서는 의연하게 보이는데, 나름대로 고충이 있었답니다.

토마토　1분도 안 되는데 영상의 완성도가 높네요. 멋져요.

〈유년기를 극복하는 방법〉 책에 대한 감상

토마토　오늘의 도서는 알랭 드 보통이 기획하고, 인생 학교가

지은 책 〈유년기를 극복하는 법〉입니다. 브로콜리님. 책을 선정하신 이유가 어떻게 되실까요?

브로콜리   우선 책이 얇기도 하고요. 우리의 내면을 치유하기 위해서는 과거를 마주하는 작업이 필요한 것 같아요. 나의 상처들은 주로 유년기의 결핍에서 비롯되는 것 같아요. 그래서 이 책에 관심이 갔어요. 그리고 함께 과거를 마주하는 시간을 가져보는 것도 좋을 것 같았습니다.

토마토   알랭 드 보통이 기획했다는데, '인생 학교'가 지었다고 해요. '인생 학교'가 무엇일까요?

브로콜리   알랭 드 보통이 팀을 꾸려서 운영하는 것 같아요. 책의 앞부분에도 나오는데, '배움을 다시 삶의 한가운데로'라는 신조로 2008년 런던에서 처음 시작해서 유튜브 채널 등도 운영하고 있어요. 〈사유 식탁〉, 〈나를 채우는 여행의 기술〉 등의 책을 출간했고요.

토마토   흥미롭네요. 유튜브 채널도 들어가 봐야겠어요.

가지   저는 꼭 책을 읽으면, 묘하게 이상한 곳에 빠지고는 해요. 책 속에 '달곰씁쓸'이라는 단어가 나오는데, 이게 표준어인가 싶어서 찾아봤는데 표준어더라고요.

토마토   달곰이요? 달콤이요?

가지   '달곰씁쓸하다.'는 단맛이 나면서 조금 쓰다는 의미이고요. '달곰하다'는 '달콤하다'의 여린 느낌이라고 하더라고요.

토마토   우와! 저도 오늘 '따뜻하다'와 '따듯하다'를 찾아봤어요.

'따듯하다'가 '따뜻하다'의 조금 여린 느낌이래요.

가지   그리고 책을 읽으며, 저의 불안들을 생각해 보게 된 것
같아요. 어린 시절의 기억을 떠올리게 된 것 같고요.

내가 상처받는 이유는 무엇인가?

당근   최근 상담을 받으며, 지난 과거를 돌아보는 작업을 하고
있어요. 상담을 통해 왜 상처받았고, 힘들어했는지 마주
하고 있어요. 양육 환경 등이 내 성격과 상처들과 깊은
관련이 있다는 것도 다시 깨달았고요. 저는 어린 시절
기억이 파편들처럼 어떤 순간들만 떠올라요. 어떤 상황
이나 감정들은 잘 떠오르지 않는 것 같아요.

브로콜리   저는 아이를 낳으면서 부모님을 조금은 다르게 바라보게
된 것 같아요. 어린 시절부터 성인이 되어가는 동안의
불편했던 감정들이 제가 부모가 되면서 이해되는 것들도
있고, 더 그렇지 못한 것들도 있어요. 하지만 조금 더
부모의 마음을 돌아보게 된 것 같아요.

토마토   저도 엄마를 마주할 때 애증의 감정이 있었어요. 그런데
아이를 낳고 보니, 엄마도 엄마가 처음이었고, 성향이
다른 아이들을 키우는 것도 처음이었을 것이고, 엄마도
서툴렀을 것이라는 생각이 들었어요.

브로콜리   맞아요. 그런 것 같아요. 저도 상담을 받으면서 과거부
터 현재까지 저 자신을 쭉 생각해 봤어요. 그러면서 제

가 느끼거나 생각하지 못했던 부분들도 알 수 있었어요. 우리가 상처받는 이유는 나 자신을 잘 몰라서 혹은 나 자신이 바라는 내 모습과 실제 내 모습이 달라서일 수도 있는 것 같아요.

당근   저도 공감해요. 이전에는 좀 더 넓은 포용력을 가진 사람이었으면 했어요. 그러려니 받아들이고, 더 이해심 많은 사람이요. 그런데 내가 그런 모습이 되려면 계속 참아야 하고, 기다려야 하더라고요. 그러다 보니, 저 자신을 잘 챙기지 못했어요. 책을 읽고, 상담하면서 나에 대해 더 알아가고, 있는 그대로 받아들이게 된 것이 치유에 정말 큰 도움이 된 것 같아요.

토마토   우리가 상처받는 이유는 '나'를 잘 알지 못했거나, '진짜 나'와 '바라는 나' 혹은 '기대하는 나' 사이의 차이 때문일 수 있겠다는 생각이 드네요. '진짜 나'와 '바라고 기대하는 나'가 완전히 일치할 수는 없겠지만, 그 사이를 좁혀가는 것이 치유에 도움이 되겠어요.

어린 시절 최초의 기억

가지   저는 초등학생 때인 것 같은데, 키우던 병아리가 죽었던 기억이 첫 기억인 것 같아요. 나중에 죽어있는 병아리를 보고 한참을 울었어요. 이후부터는 생명이 있는 것들은 함께 하는 것이 망설여지게 된 것 같아요. 그때 너무 슬펐거든요.

토마토 저도 성인이 되어서 분양받은 강아지가 죽고 나서 한참을 울었어요. 그래서 생명을 책임진다는 것에 부담이 느껴져서, 새로운 생명과 함께하는 것이 망설여지고는 해요.

가지 그리고 저는 부모님이 좀 엄하셨어요. 그래서 규칙을 꼭 따라야 한다는 것과 다른 사람에게 피해를 주면 안 된다는 것이 각인 된 것 같아요. 그리고 어린 시절 외동이라서 혼자 있는 시간이 많았는데, 그 시간을 외롭게 느끼기보다는 오히려 편안하게 즐겼던 것 같아요.

당근 저는 좀 다르게 부모님께서 어린 시절 칭찬과 기대를 많이 해 주셨어요. 감사하지만, 그것이 제게는 오히려 그런 사람이 되어야 한다는 의무감으로 느껴졌어요. 그래서 작은 실수가 있거나 성과가 나지 않는 것에 더 민감해지기도 했던 것 같아요.

토마토 저는 어린 시절 이해받지 못한다는 생각이 들고는 했어요. 제가 MBTI의 주기능이 N형인데, 제 가족들은 모두 S형이었어요. 그래서 제가 하는 말이나 생각들은 가족들과 좀 달랐던 것 같아요. 나중에 MBTI를 공부하며, '이래서 내가 외로웠고, 이해받지 못한다고 생각했구나…', '이래서 가족들은 내 생각이 좀 다르게 느껴졌겠구나…' 하고 생각했어요. 제게는 그래서 MBTI가 참 고맙고, 재미있는 분야였어요.

내가 만약 나의 부모라면, 나는 어떤 부모가 되고 싶은가?

가지   저는 덜 엄격한 부모가 되고 싶어요. 조금 더 자유롭고, 틀에서 조금은 벗어나도 괜찮다는 것을 알게 하는 부모가 되고 싶어요.

당근   저는 경험하게 하는 부모였으면 해요. 다양한 것을 실제로 도전도 하고 실패도 하는 기회를 많이 마련해 주고, 경험하는 과정을 지지해 줄 수 있었으면 해요.

토마토 저는 있는 모습 그대로를 지지해 주는 부모였으면 해요. 조금 다른 행동, 다른 생각이라도 존중해 주고, 보듬어 줬으면 해요. 오늘도 브로콜리님께서 추천해 주신 좋은 책 덕분에 우리 속 깊은 이야기를 자연스럽게 나눌 수 있어요. 좋은 책 추천해 주신 브로콜리님 감사합니다.

지금까지 달콤하다에 꽂힌 가지, 따뜻하다에 꽂힌 토마토, 경험에 꽂힌 당근, 엄마에 꽂힌 브로콜리였습니다.

2. 나다움이란 무엇인가?

(1) 〈진짜 행복을 찾고 싶은 너에게〉 당근의 책 이야기

이 책은 제목을 보고 행복을 찾는 방법에 대해 쓰인 감성적인 에세이라고 생각했습니다. 근데 반전으로 꽤 묵직한 내용들과 나다움, 나답게 사는 삶에 대한 작가님의 깊은 생각들이 담겨있어서 너무 좋았어요.

우연히 책수다에서 제가 추천했던 3권 모두 나다움에 관한 책이었어요. 덕분에 채소사총사의 나다움에 대한 다양한 관점들을 들어볼 수 있어서 더 좋았습니다. 그리고 이 책을 통해 제 고민 분야인 나다움을 다른 많은 사람도 참 많이 고민하고 있다는 것을 알게 되었습니다.

이 책에 소개된 책들은 읽어보지 않았던 책들이라 저에겐 꽤 어렵게 다가왔어요. 그럼에도 소개한 책 속 문장들을 통한 작가님의 생각을 들여다보니 인용하신 책들이 궁금해지더라고요. 가장 기억에 남았던 책은 프란츠 카프카의 소설 〈변신〉으로 책의 내용은 어느 날 갑자기 눈을 떴는데 대형 벌레로 변해버린 주인공과 가족의 이야기였습니다.

아버지의 빚을 갚기 위해 열심히 일하고, 가족의 생계를 책임지는 경제적 가장으로써 그저 가족을 위해서만 살던 주인공 그레고르 잠자는 하루아침에 벌레로 변합니다. 영혼은 그대로인 채 외형만 변했지만,

가족들이 그를 대하는 태도는 점점 달라집니다. 실제 〈변신〉의 작가 카프카 역시 아버지의 욕망에 맞춰 공부하고 보험회사에 들어갔으니 어쩌면 주인공에게 본인의 감정을 투영시킨 것 같습니다. 책에서 말한 것처럼 '사회의 요구를 거부하고, 내가 원하는 삶을 선택했을 때 그레고르 잠자처럼 벌레 취급을 받을지도 모른다는 두려움'은 우리가 모두 가지고 있는 것 같아요. 이런 두려움에도 불구하고 내가 원하는 삶을 꿈 꿔야 하는 이유는 더 행복하게 살기 위함이 아닐까요?

> 이 이야기는 한 존재의 가치를 '돈'과 '꿈'으로 분리한 게 아니다. 내가 원하는 일을 하면 돈을 포기해야 하고, 돈을 선택하면 내가 원하는 걸 포기해야 하는 양자택일의 문제가 아니라는 소리다. 이렇게 생각하는 사람들에게 그 둘을 구분하지 않는 게 좋다고 말하고 싶다. 인생은 A를 선택하면 B를 포기해야 하는 선택과 포기의 문제가 아니기 때문이다. - P.47

한 번쯤은 돈과 꿈을 고민해 본 적 있지 않나요? 저도 예전엔 '꿈을 이루기 위해선 돈을 잠깐 포기하자.'하는 생각이었지만 독서를 시작하고 인스타그램을 하면서 어쩌면 좋아하는 일을 하면서도 돈을 벌며 행복하게 살 수도 있겠다고 생각했어요.

> 우리는 실망하고 싶지 않다. 상처받기 싫다. 그래서 시도하기를 포기한다. 아예 하지 않기로 선택한다. 하지만 회피는 내 삶을 성장시켜 주지 못한다. (중략) 우리는 내면의 소리를 듣고 많은 경험을 통해서 진짜 내가 원하는 게 무엇인지 찾아야 한다. 거기에 행복이 기다리고 있다. - P.85

혹시 실패하거나 상처받을까 봐 망설이는 일들이 있지 않나요? 성공이든 실패든 참 예측하기 힘든 것인데 왜 우리는 실패하는 모습에 대한 상상력이 더 뛰어난 걸까요? 그런 상상력이 우리를 더 멈춰서게 하는 듯합니다. 과거의 저는 꽤 긍정적이고, 즉흥적인 편이라서 일단 뛰어드는 경향이 있었는데 나이가 들면서 이런 것도 조금씩 사그라들더라고요. 더 조심하게 되고 더 안정적인 것들을 추구하게 되는 제 모습이 조금은 어른스러워 보이면서도 답답할 때가 많았어요.

결국, 이 책에서 말하는 것은 '도전하고 경험하고 실패도 해봐야 스스로 원하는 삶을 찾아갈 수 있다'는 것이에요. 남들이 하니까 하는 것 말고 진짜 내가 무엇을 원하는지 알아야 행복해지는 거겠죠. 그러기 위해선 스스로 묻고 답하는 사색의 시간도 필요하고, 많은 것들을 경험해 보는 시간도 필요한 것 같습니다.

(2) 〈진짜 행복을 찾고 싶은 너에게〉 책수다 이야기

〈진짜 행복을 찾고 싶은 너에게〉 모임 전

가지　　요즘 준비 중인 시험이 있어서 당분간 모임 참석이 힘들 것 같아요.

토마토　중요한 시험이 먼저죠. 공부하다가 문득 수다를 나누고 싶으시면 언제라도, 책을 읽지 않으셔도 들르셔서 이야기 나누고 가셔도 됩니다.

브로콜리　오늘도 시금치군이 잠을 자지 않을 것 같아서 좀 늦게 참여할 수 있을 것 같아요.

당근	네~ 토마토님과 둘이 먼저 이야기 나누고 있을게요.
토마토	당근님과 단둘이 데이트네요. (웃음)

방울토마토군 등장!

방울토마토군은 토마토의 초등학교 3학년 아들입니다. 오늘 방울토마토군은 갑자기 장난에 꽂혀서 모임 중인 토마토 옆에 인형을 자꾸 가져다 놓습니다. 카메라에는 보이지 않게 슬금슬금 책상 밑으로 들어가 어디선가 찾아낸 크고 작은 인형들을 책상 위에 올려둡니다. 그리고 혼자 재미있는지 키득키득 웃네요. 정신 사납지만, 당근이 지켜보고 있어서 화를 낼 수 없는 토마토입니다. 제발 빨리 방울토마토군이 진정되기를 바랄 뿐입니다. (토마토 훌쩍)

〈진짜 행복을 찾고 싶은 너에게〉 책에 대한 감상

토마토	단둘이 오붓하게 하는 것도 뭔가 새롭네요. 당근님이랑 더 깊이 이야기 나눌 수 있을 것 같아서 이것도 참 좋네요.
당근	그렇네요. 즐겁게 이야기 나눠봐요.
토마토	오늘 책은 변진서 〈진짜 행복을 찾고 싶은 너에게〉입니다. 근데 당근님. 이 책 어떻게 알게 되셨어요? 이분 너무 멋진 분이던데요? 지금 살짝 흥분했어요.
당근	(웃음) 그죠?! 이 책, 인친님들 피드에도 많이 있고요. 북튜버로 굉장히 유명한 분이셔서 궁금하기도 했어요.

토마토	북튜버면 책을 소개하는 유튜브도 운영하시는 거군요? 인스타그램 팔로워가 13만이던데요? 너무 예쁘고, 생각도 너무 멋진 분이고, 책 속에 요가나 등산 같은 취미도 저랑 많이 비슷해서 내적 친밀감이 느껴지며, 친해지고 싶어졌어요. 이런 마음으로 이분을 사람들이 좋아하는 것 같아요.
당근	유튜브 채널도 몇 개 봤어요, 책 소개를 하시는데, 책과 연결해서 좋은 이야기들을 해주시는 것 같더라고요.
토마토	우리 당근님께서 이 책을 선정하셨는데, 선정 이유 먼저 제대로 들어보고 싶어요.
당근	이 책 제목을 보고 구매했는데, 행복에 관한 이야기일 것이라고 기대했어요. 그런데 책을 읽으니, 제가 생각했던 것과는 많이 다른 느낌이었어요. 이전 책수다 모임의 선정 도서였던 했던 윤정은 〈하고 싶은 대로 살아도 괜찮아〉와는 전달 방식이 많이 다른 느낌이었어요. 제게는 좀 어렵게 느껴지기도 했어요. 책 속에서 소개하는 책들이 제가 읽어보지 못한 고전들이 많아서 이해가 어렵지 않았나 생각했어요. 하지만 공감 가는 부분들이 많았어요. 이 책을 읽으며 떠오른 문장은 '답은 내 안에 있다'였어요. 이 한 문장이 오래 남았어요.
토마토	저는 〈진짜 행복을 찾고 싶은 너에게〉 속에 나온 책들이 거의 제 인생 책이었어요. 〈사랑의 기술〉, 〈죽음의

수용소에서〉, 〈변신〉, 〈이방인〉, 〈데미안〉, 〈아몬드〉 등 읽고 많은 사유로 이어졌던 책들이어서 그게 또 너무 공감되었어요. 특히, 〈죽음의 수용소에서〉를 읽고 삶의 의미와 관련된 논문을 쓰기도 했어요. 그만큼 제게 큰 영향을 준 책이었어요. 삶에 태도를 바로잡게 해준 책이었죠.

당근   아~ 정말요?

토마토   네. 말 그대로 인생 책이죠. 〈변신〉도 읽은 지 20년 정도 된 것 같은데, 지금까지 그 감상이 떠오를 정도로 깊은 생각에 빠지게 한 책이었죠. 그리고 특히 〈데미안〉을 이 책 속에서 정리하신 부분이 있는데, 역시 북튜버 이셔서 그런지 참 일목요연하게 잘 정리해 주신다는 생각이 들어서 놀랐어요. '내가 읽은 책이 이 책이 맞았나?' 하는 생각마저 들었어요. 책에 관해 이야기 한 부분이 정말 공감이 가고, 좋았어요.

당근   맞아요. 〈진짜 행복을 찾고 싶은 너에게〉를 읽으며 '이렇게 책을 읽을 수도 있구나….' 하는 생각이 들었어요. 저는 책을 읽으며 '그렇구나.' 하는 정도였는데, 이분은 책을 읽으며 제가 생각했던 것 이상의 것들을 많이 가져가시는 듯해서 놀라운 부분이었어요.

토마토   저는 불교 철학이나 명상도 참 공감 갔어요. 이전에 일
　　　　주일에 한 번씩 스님께 동양 철학을 배운 적이 있어요.
　　　　직장 동료의 종교가 불교였는데, 배워보지 않겠냐고 제
　　　　안해서 퇴근 후에 같이 배우러 다녔어요. 노자, 장자, 명
　　　　상법 같은 것들을 배웠는데 이 책을 읽으니 그때 배웠던
　　　　것들이 떠올라서 너무 좋았어요.

당근   아~ 그런 것도 배우셨어요?

토마토   네. 좋은 기회였죠. 덕분에 생각하지 못했던 것들을 생
　　　　각해 볼 수 있었던 것 같아요. 저는 철학적 지식이 많지
　　　　는 않지만 철학적 사유를 좋아해요. 제가 정말 힘들고
　　　　흔들렸을 때 저를 바로 세운 것이 철학적 사유였어요.
　　　　하지만 살아오며 이런 철학적 사유들에 관해 이야기를
　　　　나누는 것이 조금 어려웠어요. 사유하며 다른 사람들의
　　　　생각도 듣고, 궁금했던 것들을 이야기 나누고 싶었는데,
　　　　이런 대화를 좋아하는 사람이 많지는 않았어요. 쓸모없
　　　　고, 어렵고, 의미 없다고 생각하는 분들이 많았어요. 그
　　　　래서 좀 외롭기도 하고, 갈증이 있기도 했죠.

당근   저도 예전에는 그렇게 생각하는 편이었어요. 하지만 요
　　　　즘 사색이 필요하다는 것을 느껴요. 사색하는 시간을 충
　　　　분히 가지고 내가 정말 원하는 것, 내가 어떻게 살아가
　　　　고 싶은지 알아봐야 할 것 같아요.

토마토   저는 사색을 정말 추천하고 싶어요. 사색의 시간은 저를 단단하게 해요. 내가 어딜 가려고 하는지를 알고 가면, 흔들릴지라도 탄력성을 가지고 회복할 수 있는 것 같아요.

당근   정말 그런 것 같아요.

나다움이란?

토마토   책에도 나오는데 우리 이번에는 '나다움'에 관해 이야기해 볼까요? '나다움'이란 뭘까요? 요즘에 '나다움'이 굉장히 주목받고 있는 것 같아요.

당근   맞아요. 제 관심사여서 눈에 많이 띄는 것일 수도 있는데, 정말 많은 분야에서 '나다움'이 화두가 되는 것 같아요.

토마토   정말요. 가수나 예술가는 말할 것도 없고, 창업이나 프리랜서, 직장인들까지 많은 분야에서 '나다움'에 대한 필요성을 느끼고 고민하는 것 같아요. '나다움'이 대체 뭘까요?

당근   저는 솔직하게 표현하는 것이 '나다움'인 것 같아요. 타인의 의견에 무조건 긍정하거나 따르지 않고, 솔직한 감정을 타인의 마음 다치지 않게 표현할 줄 아는 것이요.

토마토   그럴 수도 있겠네요. 저는 나다움에 대해 정말 많이 고민하고, 나답게 살려고 노력하는데, 생각해 보면 나다워지려고 할수록 나다워지지 못한다는 생각이 들었어요. 행복, 성공, 사랑처럼 그것만을 목적으로 무작정 쫓아갈수록 멀어지는 것이 '나다움' 같아요. 나다워지려고 집착하다 보면 자꾸 부자연스러운 무엇인가가 끼어들어 가요. 그냥 나는 나인데 이걸 어떻게 균형을 유지하며 표현하느냐가 관건인 것 같아요.

당근 맞아요. 말씀 들어보니 정말 그런 것 같네요.

토마토 내가 어떤 사람이고 무엇을 원하는지를 자꾸 스스로 질문하는 것이 자연스럽게 나다움이 배어 나오는 방법일지도 모르겠어요.

당근 역시 정답은 내 안에 있는 것 같아요.

토마토 맞네요. 정말 답은 내 안에 있네요.

우리는 어떤 꿈을 꾸는가?

토마토 저자는 정말 자연스럽게 꿈을 이루었어요. 우리는 둘 다 퇴사하고 다시 꿈을 꾸고 있잖아요. 요즘에 당근님만의 메시지를 찾고 계신다고 하셨는데, 혹시 찾으셨어요?

당근 저는 관계에 있어서 고민을 많이 하고 있어서 그 부분에 메시지를 전하고 싶어요. 나를 잃지 않고, 상처 주지 않으며 관계를 지속할 방법을 고민해 보고 있어요. 타인과 나 사이의 균형을 잡을 수 있는 메시지를 전하고 싶어요.

토마토 멋지네요. 관계에 대해 고민이 많죠. 끝도 없이 이어지기도 하고요. 타인과 나 사이의 균형을 잡는다는 표현이 멋지네요. 당근님은 멋지게 전달하실 수 있을 것 같아요.

당근 토마토님은요?

토마토 저도 항상 나를 잃지 않았으면 좋겠어요. 내가 원하는 것을 알고, 나를 사랑하고 소중히 대하며 삶을 살아가고 싶어요. 다른 사람들도 그랬으면 좋겠고요. 저는 상담하는 책방을 꾸려서 글, 상담, 책으로 사람들이 원하는 꿈을 꾸고, 그것을 향해 나아가는 것을 돕고 싶어요.

〈진짜 행복을 찾고 싶은 너에게〉 책수다를 마무리하며

브로콜리 시금치군 잠들었어요. 너무 늦어졌죠?

토마토 괜찮아요. 브로콜리님. 근데 우리 회의도 해야 하고, 시간이 다 되어서 책 소감 듣고 마무리할까요? (웃음)

브로콜리 네. 이 책 너무 좋았어요. 행복에 관한 이야기인 줄 알았는데 책 이야기도 많이 나오더라고요. 작가분이 아름다우시고 지적이기까지 하셔서 놀랐어요. 이분은 정말 진심으로 책을 읽는 분 같다는 생각이 들었어요. 정말 책이 좋아서 읽는 분이요. 밑줄을 친 문장들도 많았고 공감 가는 부분도 많아서 너무 좋았어요. 북튜버라서 그런지 내공이 느껴졌어요. 이번에도 당근님의 책 선정은 성공적인 것 같아요.

당근 제가 책 선정 운이 매번 좋았어요.

토마토 맞아요. 책 선정의 여신 당근님. 그리고 브로콜리님이 하신 말씀이 딱 저희가 오늘 한 이야기들이에요.

브로콜리 그래요? (웃음) 좋네요.

토마토 이어서 저희 에세이 집필 관련 회의하고 오늘 모임 마무리할게요.

가지 저 들어왔어요.

토마토 네. 가지님도 오셨네요. 공부하시느라 정신없으셨을 텐데 오늘도 고생 많으셨어요.

오늘 채소사총사는 책수다에 이어 늦은 시간까지 회의를 진행하였습니다. 채소사총사는 수다 메이트에서 함께 협력하는 파트너가 되었습니다. 그런 우리의 함께할 날들이 점점 더 기대됩니다.

지금까지 책 선정 여신 당근, 짧고 강렬한 책 리뷰 여신 브로콜리, 철학적 사유 여신 토마토, 명실상부 매력쟁이 청일점 가지였습니다.

3. 나의 진짜 두려움은?

(1) 〈두려움을 이기는 습관〉 브로콜리의 책 이야기

나폴레온 힐은 수많은 저서를 쓴 성공학의 거장이라고 불립니다. 이 책은 굉장히 얇지만, 나의 두려움에 대해 되돌아볼 수 있는 핵심적인 책이었습니다.

여러분은 두려움을 얼마나 느끼나요? 두려움은 다른 감정처럼 우리에게 느껴지는 하나의 마음입니다. 수많은 감정 중 도전하기 어렵고, 선택하기 어려운 가장 큰 원인이 두려움 때문이라는 생각이 듭니다.

두려움은 잠재의식 깊숙한 그곳에 뿌리내려 당신의 주된 생각들을 어둡게 물들이고, 인식을 변질시키며, 결국에는 행동에도 영향을 미친다. 하지만 두려움은 단순한 감정에 불과하다. 무조건 해로운 것이 아니라 이로운 것으로 바꾸고 다스릴 수 있는 감정이다. - P.10

이 책은 전반에서 끌어당김의 힘을 보여줍니다. 저는 최근 몇 개월 긍정 확언을 쓰는 것으로 아침을 열고 있습니다. 긍정 확언으로 아침을 열면 그날 하루를 긍정적인 기분으로 시작하게 됩니다. 그렇게 되면 우리의 행동까지 긍정적으로 변화하게 됩니다.

희망과 소망을 품는다는 것은 신념과 행동이 부족하다는 뜻이다. 그 대신, 반드시 일어서서 명확한 핵심 목표를 성취할 것이라는 확실성에 생각을 집중시켜야 한다. - P.22

실제로 저는 엄청 부정적인 사람이었습니다. 언제나 되는 이유보다 안되는 이유, 할 수 없는 이유를 찾았습니다. 어쩌다 성과가 생기는 것은 제가 잘한 게 아니라 '운이 좋았기' 때문이라고 생각했습니다. 이렇게 살면 삶이 엄청 괴롭습니다. 시작하기도 어렵지만 시작해도 언제나 제 선택을 후회하고 책망합니다. 잠도 오지 않고 예민해집니다. 가까운 주변 사람들에게 사랑한다고 표현할 여유도 없습니다. 매일 불안해하고 걱정하느라 내 괴로운 마음 챙길 여유도 없거든요. 이런 삶이 본인을 괴롭히고 있다는 것을 깨달은 지 얼마 되지 않았습니다.

> *지속적으로 쏟아지는 부정성에 노출되면 무기력해지고, 무기력은 최악의 사태만 곱씹는 악순환을 낳는다. 종국에는 인간의 가장 중요한 원천인 '정신'이 스스로를 해친다. 반면에 생각을 통제하면 인생을 통제할 수 있고 (중략) - P.15*

신념과 두려움은 공존할 수 없다고 합니다. 그래서 인생의 위기에 봉착하면 신념의 길과 두려움의 길 중 하나를 선택한다고 합니다. 신념을 가진 사람은 꾸준히 정신을 단련했기 때문에 용기 있게 선택하고 결정할 수 있지만 대부분 사람은 두려움의 길을 선택한다고 합니다. 결국 우리에게 신념이 얼마나 큰 영향을 주는지 알 수 있습니다.

> *신념은 세상의 모든 돈을 다 끌어모아도 안 되던 것을 이룰 수 있게 해준다. - P.40*

> *역경은 올바른 관점에서 바라볼 때 이로운 것이 된다는 확실한 깨달음도 손에 넣을 수 있다. - P.43*

두려움을 극복하기 위해서 우리에게 필요한 것은 용기 있는 행동을 반복하는 것입니다. 결국, 한 번에 해결할 수 있는 것이 아니고, 천천히 만들어 가야 하는 것이었어요. 대신 조금씩 하다 보면 어느 날 거대한 변화가 시작되었다는 것을 느낄 수 있을 겁니다.

당신의 의지력을 모두 발휘해서 당신의 마음을 완벽하게 통제하라. 당신의 마음은 당신 것이다! 당신의 소망을 이뤄주는 하인이다. 당신의 동의와 협조 없이는 아무도 당신의 마음속에 들어가지 못하고, 당신의 마음에 조금의 영향도 미칠 수 없다. - P.82

이 책의 가장 큰 장점이 직접 생각해 볼 수 있도록 질문을 던져놓았다는 것입니다. 책을 읽고 밑줄 친 부분을 들춰본 다음 내용을 곱씹으며 나에게 이 책은 어떤 의미였는지, 무엇을 실천해 볼 것인지 생각하기에 좋았던 것 같습니다. 그래서 책 두께에 비해 생각할 거리가 많았습니다. 이 책으로 독서 모임을 하게 된다면 별다른 준비를 하지 않아도 한 시간을 충분히 채울 수 있을 것 같습니다.

(2) 〈두려움을 이기는 습관〉 책수다 이야기

〈두려움을 이기는 습관〉 책에 대한 감상

토마토 오늘은 브로콜리님께서 추천하신 책 나폴레온 힐 〈두려움을 이기는 습관〉입니다. 책 어떠셨어요?

당근 네. 이 책은 딱딱 결론을 내려주는 책이고, 부록 질문에 답하며 생각할 수 있어서 좋았어요.

토마토 맞아요. 정말 그런 것 같아요.

브로콜리　그런데 이 책이 나폴레온 힐이 직접 작성한 책이 아니었나요? 책에서 '나폴레온 힐은 말한다.' 이런 부분이 있는데, 자신이 쓴 책에 이렇게 표현하기도 하나요?

당근　책 제일 앞부분에 나와 있는데, 이 책은 나폴레온 힐 재단에서 나폴레온 힐의 이론을 요약해서 쓴 책이라고 해요.

브로콜리　정말 그렇네요. 역시 책은 함께 읽어야 제대로 읽는 것 같네요. 당근님 아니었으면 나폴레온 힐이 그런 스타일인 줄 오해할 뻔했어요.

토마토　아이들처럼 "토마토는 그거 먹고 싶어요." 이런 식으로 말하는 사람으로 오해할 뻔했다는 거죠? (웃음)

브로콜리　네. (웃음)

〈두려움을 이기는 습관〉 부록의 질문들

토마토　우리 부록에 있는 질문들만 이야기해도 시간 다 갈 것 같아요. 부록 혹시 다 적어보셨어요?

당근　아니요. 아직 적지는 못했는데, 나중에 꼭 적어보려고요.

토마토　저는 다 적었어요. 그냥 생각나는 대로 가볍게 작성했던 것 같아요. 당근님은 61가지 질문 중 어떤 질문이 가장 인상 깊었어요?

당근　저는 쉽게 답할 수 없는 질문들이 기억에 남았어요. 목표나 단점, 열망하는 것에 관한 질문이요.

토마토　당근님께서 요즘 진지하게 생각 중이신 부분들이네요.

당근   네. 맞아요.

토마토   저는 '살아있는 사람 중에서 가장 위대한 사람은 누구라고 생각하는가?'라는 질문에 이렇게 썼어요.

당근   어떻게요?

토마토   (웃음) 나.

당근   (웃음) 멋진데요.

토마토   부록을 쓰면서 가장 크게 와닿았던 것은 신랑이 제게 정말 영향력 있는 사람이라는 것이에요. 낙담하게 만드는 사람, 영향력 있는 사람에 모두 남편을 적었거든요. 역시 가장 사랑하기도 하고, 의지하기도 하고, 나를 가장 잘 알 것으로 생각하는 사람의 말과 행동은 힘이 센 것 같아요. 당근님께 가장 영향력 있는 사람은 누구예요?

당근   지금은 저도 역시 남편이요. 가장 오랜 시간을 함께하는 사람이 영향력이 있는 것 같아요. 예전에는 직장 동료였고, 지금은 그래서 남편이요.

브로콜리   저는 앞쪽에 나온 질문에는 답을 달았어요.

  1. 인생에서 무엇을 원하는가?
  2. 당신에게 예정된 위대함은 무엇인가?

토마토   브로콜리님에게 예정된 위대함은 무엇일까요?

브로콜리   이거 너무 부끄러운데…. 저는 10만 팔로워를 가진 육아맘 인플루언서요. 동기부여 베스트셀러 작가이기도 하고요.

토마토   '인생에서 무엇을 원하는가?'라는 질문의 답도 궁금해요.

브로콜리   저는 주체적인 삶이요. 사람에게 충분히 베풀 수 있는 삶, 여행과 취미, 자유가 있는 삶이요. 저는 다른 사람에게 도움을 주고, 그것에 굉장히 만족감을 느끼는 사람이더라고요. 다른 보상을 바라지 않고, 그저 도움이 되었다는 그 자체로 만족스러워요. 그게 저의 사람에 대한 사랑 덕분인 것 같아요. 그래서 저는 사랑하는 삶을 살고 싶다고도 생각했어요.

토마토   저도요. 많은 사람이 사랑이란 단어를 묵직하게 생각하고, 표현을 아끼거나, 범위를 좁게 생각하시더라고요. 저는 사랑의 범위를 넓게 보는 편이에요. 사랑은 비단 이성이나 사람, 특정 사물 등에만 사용할 수 있는 단어는 아닌 것 같아요. 감정이나, 순간, 그리고 어떤 행위에도 사랑을 느낄 수 있어요. 저는 이렇게 넓은 범위로 사랑하는 삶을 살고 싶어요.

나폴레온 힐 〈두려움을 이기는 습관〉 7가지 두려움

토마토   책 속에는 7가지 두려움이 있어요. 가난, 비판, 질병, 실연, 자유 상실, 노화, 죽음이요. 우리는 어떤 두려움이 있을까요?

당근   저는 가난과 실연에 대한 두려움이 있어요. 자라면서 경제적으로 결핍이 많지는 않았어요. 하지만 20살이 되고

부터 경제적으로 독립해야 진짜 독립이라고 생각했어요. 그래서 보험이나 휴대전화 요금 등도 다 제가 아르바이트를 해서 냈었어요. 그렇게 일찍부터 경제관리를 하다 보니 가난한 것이 더 두렵게 와닿는 것 같아요.

토마토 그럴 수 있겠네요.

당근 저는 실연의 두려움을 관계에서 오는 두려움으로 해석해봤어요. 착한 아이 콤플렉스 아세요? 사람들이 '나에게 하는 기대에 실망을 주지 않을까?' 하는 생각을 자주 했어요. 좋은 사람이 되고 싶고, 인정받고 싶고, 눈치도 많이 보는 편이었죠.

토마토 조금 전에 〈오늘도 참 나스러웠다〉라는 책을 읽었었는데, 거기 '착함'에 대해 나와요. 착한 사람의 긍정적, 부정적 측면을 살펴보고, 착한 나를 받아들이는 것에 집중해 보는 책이었죠. 책을 읽고 당당하게 말하고 싶어졌어요. '나는 착하다.'라고. 착한 아이가 잘못된 것은 아니니까요.

당근 맞아요. 하지만 적당한 것이 중요하죠. 너무 잘하려고 노력하다 보면 자존감이 떨어지니까요. 균형을 잡는 것이 중요한 것 같아요.

토마토 저번 모임에서 말씀하셨던 나와 타인 사이의 균형이 저도 오래 기억에 남았어요.

당근 그렇죠. 균형을 잡는 게 쉽지 않지만 중요한 부분이죠.

브로콜리 맞아요. 저는 가난, 비판, 질병, 자유의 상실에 대한 두려움이 큰 것 같아요.

토마토 브로콜리님은 간호사였기 때문에 질병으로 힘들어하고, 죽어가는 사람들을 오래 지켜보면서 더 질병이 크게 와 닿으실 것 같아요.

브로콜리 맞아요. 그래서 더 그런 것 같아요. 그리고 비판에 대한 두려움은 직장에서도 괜찮은 사람이 되고 싶고, 기존 관념에서 벗어나면 혼날 것 같고, 의견을 내면 동의하지 않을까 봐 불안하고, 그랬던 것 같아요.

토마토 우리는 왜 동의하지 않는 것에 대해 불안감을 가질까요?

브로콜리 맞아요. 동의하지 않는 것이 어쩌면 당연한 일인데 말이죠. 모두 다른 사람이잖아요. 당연히 다른 생각을 할 테고, 내 생각이 항상 맞을 수는 없는데 말이죠.

토마토 맞아요. 정말 그래요.

브로콜리 그리고 자유 상실에 대한 두려움이요. 육아하니까 제 시간을 만드는 게 너무 힘들었어요. 생각해 보면 그때 제가 자유가 없었기 때문이었던 것 같아요. 어쩌면 자유의 상실은 나를 잃는 것을 뜻하는 것 같기도 해요.

토마토 그렇게 해석할 수도 있겠네요. 이렇게 이야기를 듣고 보니 내가 가진 두려움들을 조금 더 알아차리게 된 것 같아요. 실연에 대한 두려움을 관계에 대한 두려움으로 해석한 것도 그렇고, 자유 상실에 대한 두려움을 나를 잃는 것에 대한 두려움으로 해석한 것도 그렇고. 정말 그럴 수 있겠네요.

당근 정말 이야기해 보니 그렇네요.

토마토 저는 평소 죽음에 대한 두려움에서 벗어나려고 많이 노력하는 편이에요.

당근 평소에요?

토마토 네. 물론 저도 죽음이 슬프고 힘든 일이에요. 하지만 누구나 죽잖아요. 그래서 죽음을 자연스러운 것으로 생각하려고 노력하죠. 최근 읽었던 〈참 괜찮은 태도〉에서도 김상욱 물리학자가 '이 넓은 우주에서 생명체가 있는 건 지구밖에 없고 그렇다면 오히려 죽음이 더 자연스러운 상태'라고 말한 것이 있어요. 〈지금이 생의 마지막이라면〉에서도 '아이에게 키스할 때, 아마 너는 내일 죽겠지.' 하고 마음속으로 속삭여야 한다는 문장이 있어요. 아이에게 내리는 저주가 아니라, 그 순간이 마지막인 것처럼 사랑을 표현하라는 말이죠. 〈마흔에 버렸더라면 더 좋았을 것들〉에서도 죽음을 받아들이는 것을 강조했어요. 죽음을 받아들이는 것은 삶을 더 찬란하게 한다고 생각해요.

브로콜리 맞아요. 어떤 말씀인지 알 것 같아요. 어떤 분은 죽기 전에 장례식을 파티처럼 하셨대요. 죽음은 상실의 두려움 때문에 더 힘들게 느껴지는데, 질병이 심한 분들은 종종 죽음이 오히려 편안해지는 길이라고 생각하기도 하더라고요.

토마토　맞아요. 그럴 수 있죠.

〈두려움을 이기는 습관〉 책수다를 마무리하며

당근　오늘 모임을 하면서 7가지 두려움에 대해 다르게 해석하는 것이 흥미로웠어요. 역시 함께 이야기하니 더 많은 것을 생각해 보게 된 것 같아요.

토마토　내가 가진 두려움을 타인에게 말하는 것 자체가 두려운 일일 수 있어요. 어쩌면 수치스럽게 여길 수도 있고, 창피해 할 수도 있어요. 하지만 우리는 어느새 내가 가진 두려움을 나눌 수 있는 관계가 되었네요.

브로콜리　정말 그렇네요.

지금까지 균형을 지키는 착한 아이 당근, 나를 잘 지켜낸 아이 브로콜리, 죽음으로 삶을 지키는 아이 토마토였습니다.

4. 나는 좋은 어른이 될 수 있을까?

(1) 〈지금, 여기를 놓친 채 그때, 거기를 말한들〉 가지의 책 이야기

어느 가을날, 저는 군산에 갔습니다. 제가 가는 여행지 날씨는 흐렸던 적이 많았지만, 이번은 티 없이 맑은 하늘이 펼쳐져 있었습니다.

여행 둘째 날은 그 지역 독립서점을 가보고 싶었습니다. 숙소 앞에도 독립서점이 세 군데나 있었지만, 특이한 콘셉트의 서점이 있다는 것을 듣고 가보기로 했습니다. 미리 빌려 놓은 차를 타고 시골길을 굽이굽이 돌고 돌아 서점에 도착했습니다. '조용한 흥분색'이라는 특이한 이름의 서점 겸 카페였습니다. 입장권을 사고, 책을 구매하면 입장권 가격만큼 할인해 주는 방식이 신선했습니다. 그 서점에서 이 책 〈지금, 여기를 놓친 채 그때, 거기를 말한들〉을 집어 들어 계산한 후에 2층에 마련된 자리에서 휴대전화를 덮어놓은 채 책을 읽어나갔습니다.

이 책은 저자가 오랜 시간 써온 짧은 생각들을 모아놓은 책이라고 합니다. 그래서인지 다양한 글들이 있습니다.

> *시간이 지나야만 납득이 되는 이야기가 있다. 두 귀를 막고 그저 눈물만 흘리게 하고 저 멀리 도망치게 했던 그 말이 어느 순간, 내 발걸음과 호흡을 멈추게 한다. 곁을 떠나서야 인정하게 되는 말이, 그런 순간이 있다. - P.31*

> *새벽은 위험해.*
> *잠깐만 방심해도 고요한 이 시간은*

어느새 나를 첫 만남의 설렘부터
마지막의 아쉬움까지 끝없이
아득하게 걷고 또 걷게 하지. - P.48

저는 새벽에 길을 걸을 때 문득 외로움이라는 감정과 마주하게 될 때가 있습니다. 이 세상에 나 혼자 있는 것 같은 느낌이죠. 그래서 책 소개의 마지막을 어떻게 장식할지 고민하다 '외로움'에 대한 구절로 정했습니다.

이쩌면 외로움이라는 것은
곁에 누군가가 있고 없고를 떠나
우리 안에 내재하고 있는 것인지 모른다.
(중략)
시인이 말했다.
산다는 것은 외로움을 견디는 일. - P.57

살면서 견뎌야 하는 것, 느끼는 것, 생각하는 것을 모두 적어둔 이 책을 읽으며, 여러분도 여러분의 삶을 돌아보셨으면 좋겠습니다.

(2) 〈지금, 여기를 놓친 채 그때, 거기를 말한들〉 책수다 이야기

〈지금, 여기를 놓친 채 그때, 거기를 말한들〉 모임 전,

가지　책들 다 읽으셨어요? 이 책은 왠지 이별하고 나서 읽어야 할 것 같아요.

토마토　아직 안 읽었는데…. 그러면 어떻게… 급하게 이별을 좀 해 볼까요? (웃음)

당근,
브로콜리 (빵 터짐)

〈지금, 여기를 놓친 채 그때, 거기를 말한들〉 책에 대한 감상

가지   저는 이 책이 이별 후에 읽으면 더 공감이 가겠다는 생각이 들었어요.

브로콜리   책 좋았어요. 잘 읽히고 공감이 가는 부분이 많았어요.

당근   저도 너무 좋았어요. 앞부분은 가지님 말씀처럼 이별에 관한 이야기인 듯했는데, 후반부로 갈수록 삶 전반에 대한 위로로 채워진 듯한 느낌을 받았어요.

토마토   분명 책에는 이별의 이미지가 배어있기는 한 것 같아요. 가지님은 특히 어떤 부분에서 그런 느낌을 받으셨을까요?

가지   이런 부분이요.

> *습관*
>
> *우리, 서로에게 습관은 되지 말자며*
> *그렇게 등을 보였는데*
>
> *잊혀지는 게 두려워서*
> *서글픈 습관이 됐고*
> *그 기억들은 점점 빛을 바랬네. - P.49*
>
> *머문 자리*
>
> *잘 차려진 식탁에 앉아서 첫술을 뜨는 것만큼이나 중요한 것은 마지막 술을 뜨는 일이다. 당신이 머물다 떠난 자리에서 누군가는 빈 그릇을 닦는다. - P.68*

토마토   맞아요. 글들은 확실히 지나간 것들에 대한 회상이 느껴
져요. 저도 삶 전반에서 위로를 받을 수 있었어요.

당근   저는 이 부분을 읽고 왠지 너무 공감이 가서 울컥했어요.
직장을 다닐 때 제 모습이 너무 떠올랐어요.

> *우리는 무엇을 위해*
>
> *서너 개의 알람이 맞춰져 있는 매일 아침. 알람을 끄고 난
> 후 다음 알람이 울 때까지 선잠을 잘 것을 알면서도 다시
> 눈을 감는다.*
> *(중략)*
> *만원 버스에 내 아침을 구겨 넣는다.*
> *(중략)*
> *여전히 내게 남겨진 조각을 내일, 그 어디쯤에 끼워놓아야
> 하는지. 나는 알 수가 없다. - P.79~80*

토마토   맞아요. 이 글은 정말 그랬던 것 같아요. 그때의 나를
너무 잘 묘사한 듯한 글이라서 공감도 가고, 안쓰럽기도
한 느낌이었어요. 저는 이 글도 좋았어요.

> *작은 잔*
>
> *큰 그릇보다는*
> *작은 잔이 되고 싶다.*
>
> *조금만 부어도*
> *금방 찰랑거리는*
> *춤을 출 수 있는*
> *자주 움직여 비워내고*
> *부지런히 채우는*
>
> *입술을 조금만 벌려도*

남김없이 삼킬 수 있는
순전한 마음만 담는
작은 잔이 되고 싶다. - P.110

브로콜리 그러네요. 많은 사람은 큰 그릇이 되기를 원하는데, 작은
잔도 의미가 있네요. 생각해 보게 되는 글인 것 같아요.

나의 인생 문장은?

토마토 최근에 다른 독서 모임에서 이런 질문을 받았어요. 인생
문장이 무엇인지. 문득 여러분의 인생 문장은 무엇인지
듣고 싶었어요. 저는 대학 시절부터 '나답게 살자'라는
것이었습니다. 어느 책에서 본 것도 아닌데, 계속 떠오
르는 생각이었어요. 나의 속도로, 내가 좋아하는 것을
하며, 내 가치에 맞게 살고 싶어요. 다른 사람의 시선이
나 기준을 내 삶의 기준으로 삼고 싶지 않아요.

가지 저는 프랑스의 소설가 폴 부르제가 한 말을 인생 문장으
로 삼고 있는데요. '당신은 당신이 생각하는 대로 살아
야 한다. 그렇지 않으면 사는 대로 생각하게 될 것이다.'
입니다. '사는 게 원래 다 그런 거야.' 하는 생각으로 살
고 싶지는 않은 것 같아요.

당근 저는 '오로지 나로서 빛나고 싶다.'입니다. 저는 나로서
빛나려면 어떻게 해야 할지 늘 고민하고 있어요. 주체적
이면서 나 자체로 인정받는 삶을 살고 싶어요.

브로콜리 저는 '되는 대로 살자'입니다. 〈여덟 단어〉의 문장인데 본질을 중요시하면서 최선을 다해 현명한 판단을 하면서 되는 대로 살자는 말입니다. Be yourself라는 말도 떠오르네요.

좋은 어른이란?

토마토 저는 평소에 좋은 어른이 어떤 어른인지에 대해 자주 생각하는 편이에요. 나이를 먹으니 좋은 어른은 되고 싶은데 좋은 어른이 되려면 '어떤 어른이 좋은 어른일까?'를 먼저 고민하고 정리해야겠더라고요. 최근 최진영 작가님 소설들을 읽으며, 이런 생각을 했어요. '자신의 미숙함을 인정하는 어른이 좋은 어른이 아닐까?' 사과할 줄 알고, 부끄러워할 줄 알고, 부족함을 알고, 기꺼이 반성하며, 개선해 나가려 하는 어른이요. 여러분은 어떠세요?

브로콜리 저는 육아를 하며 드는 생각이 기다려 주는 어른이 좋은 어른 같아요. 인내하고 기다려 주는 어른이 되고 싶어요. 그것이 참 어렵더라고요.

당근 저는 포용력 있는 어른이요. 어떤 일이 다가와도 넓은 마음으로 품어줄 수 있었으면 해요. 저는 계속 이런 사람이 되고 싶은 것 같아요. 포용력 있는 사람이요.

가지 저는 흔들리지 않는 사람이요. 어려운 일이 와도 피하지 않고 문제를 해결해 나갈 수 있었으면 해요.

토마토 흔들리지 않는다는 건 어떤 걸까요?

가지 자신의 소신에 대해 흔들리지 않는 것이요. 자신의 가치에 따라서 어떤 순간에도 흔들림 없이 지켜졌으면 해요.

토마토 혹시 여러분이 생각하는 좋은 어른이 주변에 있나요?

가지 글쎄요. 지금은 딱히 생각나지 않아요.

토마토 저는 잘은 모르지만, 이미지를 보면 백종원 아저씨가 제가 생각하는 좋은 어른의 느낌이었어요. 수더분한 이웃집 아저씨 같고, 자신의 분야에서 확실한 전문가이지만, 그 분야에도 다양한 방향이 있으니, 다른 방향성을 가진 사람들을 존중하고 배울 줄 아는 듯해요. 예능에 나오는 것을 보면 전 국민의 요리 선생님인데도 후배들이 요리할 때 기꺼이 그들의 요구에 따르며, 믿고 맡기더라고요. 그리고 적재적소에 필요한 조언을 해주고요. 그 모습이 인상 깊었어요.

당근 그렇군요.

토마토 드라마 '굿닥터'에 그런 대사가 있었어요. '좋은 의사란 어떤 의사가 좋은 의사인지를 고민하는 의사이다.' 이 대사가 정말 인상 깊었어요. 그래서 좋은 어른도 그런 것 같아요. '좋은 어른은 어떤 어른이 좋은 어른인가를 고민하는 어른이다.' 하는 생각도 들어요. 그래서 이런 고민 자체가 의미가 있고, 우리는 이미 충분히 좋은 어른이 아닐까 생각해 봅니다.

오늘 채소사총사의 책수다 모임은 공백이 있는 시간이었습니다. 대화 중간에 정적이 흐르기도 하고, 답을 찾지 못하고 마무리된 이야기도 있었어요. 그 공백의 시간이 오히려, 진짜 내 생각에 집중해 보는, 몰입의 순간이 아니었나 생각해 봅니다. 이날 우리의 대화는 그저 내뱉어지는 대화가 아니라 진짜 생각하고 공유하기 위한 대화가 이루어진 듯합니다.

지금까지 항상 따뜻한 에세이와 유쾌한 유머를 전하는 가지, 항상 진지하게 고민하고 정성을 다해 답하는 당근, 항상 따뜻하게 공감하는 든든한 브로콜리, 항상 열심히 질문하는 토마토, 이미 좋은 어른인 채소사총사였습니다.

[세 번째 인터뷰] 책으로 만난 사람들

1. 토마토

Q. 독서와 관련된 에피소드가 있나요?

A. "나는 엄마가 먼저 죽으면 엄마를 뜯어먹을 거야."
어느 날 초등학교 3학년 아이가 저에게 말했어요. 정말
깜짝 놀랐죠. 갑자기 무슨 말인가 했는데, 〈구의 증명〉
의 최진영 작가님 북콘서트를 함께 다녀온 것 때문이었
어요. 〈구의 증명〉은 사랑하는 연인이 먼저 죽고, 그를
너무 사랑해서 세상에 남기고 싶은 마음에 그를 뜯어먹
는다는 다소 섬뜩한 내용이에요. 소설을 읽고 나면 이
설정이 섬뜩하기보다는 오열을 부르는 지극한 사랑의
표현이라고 느끼게 돼요. 아이는 북콘서트에서 최진영
작가님이 말씀하신 소설의 상징성에 관한 이야기들이
기억에 남았던 것 같아요. 아들의 섬뜩한 말은 '지극히
사랑한다.'라는 사랑의 표현이었죠. 북콘서트를 다녀온
후 남편과는 주말에 카페에 가서 남편은 〈구의 증명〉을
읽고, 저는 최진영 작가님의 신작 〈단 한 사람〉을 읽었

어요. 북콘서트 덕분에 함께 책을 읽으며 잊지 못할 순간들이 생겼어요.

Q. 다른 독서 모임 경험이 있나요?

A. 저는 토끼, 다람쥐, 사슴이 함께하는 동물삼총사의 책수다도 운영하고 있어요. 멤버들이 원래 책을 자주 읽지 못했는데, 모임을 통해 책을 읽기 시작했다고 좋아해요. 토끼님은 시집 필사를 시작했고, 사슴님은 직장 동료들과의 독서 모임을 운영하게 되었어요. 직장 동료들도 독서 루틴을 만들고 독서 기록을 시작하게 되었다고 해요. 이렇게 독서 생활이 전해지는 것은 참 뿌듯해요.

필사 모임에도 참여하고 있어요. 처음 필사할 때는 너무 좋아서 눈물이 났어요. 정신없이 달리기 바쁜 하루 속에서 오롯이 글자를 쓰는 데에만 집중하니 명상처럼 느껴졌어요. 필사하면 좋은 문장들이 삶 속으로 들어오는 것 같아요. 이 모임은 하루에 하나씩 필사 후 인증사진을 올리고, 감상 메시지를 주고받고, 가끔 온라인에서 낭독회를 하며, 멋진 문장들을 공유하기도 해요.

2. 당근

Q. 책을 읽고 생긴 인간관계가 있나요?

A. 책을 읽고 기록을 위해 시작한 인스타그램을 통해 주변에선 쉽게 볼 수 없었던 열정적으로 꿈을 꾸며 정말 열심히 사는 분들을 많이 만나고 소통해 왔어요. 그로 인해 참 많은 동기부여를 받고 친구보다 더 많이 안부를 물으며 함께 성장을 응원하곤 했죠. 단순히 책을 읽고 기록을 위해 시작한 인스타그램이었는데 내향적인 저에겐 새로운 사람들을 많이 만날 수 있는 용기를 주었던 도구가 되었어요.

Q. 책에 관해 가지고 있던 편견이 있나요?

A. 23년 5월 책을 제대로 읽기 시작하면서 20대에 얼마나 책을 대충 읽었는지 알게 되었어요. 그때는 그저 눈으로 글씨만 읽었고, 책을 읽으며 깊이 생각해 본 적은 없었거든요. 그래서 지난 5월 책을 처음 읽을 때도 그 습관을 버리고 제대로 책을 읽고 싶어 독서법 책만 10권 가까이 읽었어요.

그래서 지금은 꼭 책을 완독할 필요가 없다는 것을 깨닫고, 책에서 딱 한 문장만 기억하면 성공했다고 생각하고 있어요. 좋은 책, 나쁜 책이란 생각 없이 모든 책은 배울 점이 있다는 마음으로 책을 읽고 있어요.

Q. 책을 꼭 읽었으면 하는 사람이 있나요?

A. 작은 바람이 있다면 남편도 저와 함께 책을 읽었으면 좋겠어요. 책은 대화를 더 깊게 해주고, 직접 물어보기 어려운 질문들도 책을 통하면 조금은 가볍게 꺼내 볼 수 있다는 것을 책수다 모임과 친구들과의 대화를 통해 느꼈어요. 아마 지금보다 깊은 대화들을 나누고 서로에 대해 더 잘 알아가게 되지 않을까 싶어요.

그리고 언젠가 아이를 낳으면 거실에 TV 대신 책장을 둬 가족들이 모두 함께 책을 가지고 놀 수 있게 하는 게 목표예요!

3. 브로콜리

Q. 다른 독서 모임 경험이 있나요?

　A. 책사언니라는 인스타그램과 유튜브를 운영 중인 정예슬 작가님께서 운영하는 함성 독서 모임에 참여한 적이 있어요. 이 독서 모임은 다른 모임과는 다르게 실천에 옮기는 것이 매우 흥미로웠어요. 〈백만장자 메신저〉를 읽고 메신저로 데뷔했고, 너무 좋아서 다음 독서 모임에도 참여했어요. 〈보물지도〉를 읽고 나의 보물 지도를 직접 만들고, 꿈을 이룬 사람이 되어 인터뷰했는데, 정말 목표를 성취한 듯한 기분이 들었어요. 단순히 독서로 생각을 나눈 것이 아니라 행동으로 옮기며 책이 삶에 미치는 영향을 직접적으로 느꼈다는 것이 큰 장점이었어요. 저도 곧 이런 행동형 독서 모임을 시작하는 것이 목표입니다.

Q. 책을 읽고 감사하게 된 사람이 있나요?

　A. 책을 읽고 감사하게 된 사람은 의외로 저였어요. 제가 가장 충격받았던 내용은 바로 이 내용이었어요.

쉽게 어두운 결론으로 비약해서 화내는 이유로는 그다지 유쾌하지 않은 심리학적 현상을 꼽을 수 있다. 바로 자기 혐오다. 자기 자신을 싫어하는 사람일수록 남들이 자신을 업신여긴다고 여기며, 남들이 자신을 무시하며 괴롭힐 타 깃으로 삼는다고 느낀다. (중략)
- 인생 학교 지음, 오렌지D 〈더 나은 말〉

마침 이 책을 읽기 한 달 전에 저를 무시한다는 생각으로 관리사무소 직원분이랑 크게 다툰 적이 있었거든요. 사실 여부와 관계없이 그 생각이 모두 자기혐오에서 비롯되었다고 생각하니 저 스스로가 너무 가엾고 안타깝더라고요. 그동안 그렇게 고통받던 이유가 자신에게 보낸 화살이라니. 그래서 그때 이후로 저는 저에게 감사하고 사랑하고 있어요.

책을 읽지 않았더라면 아직 해결하지 못한 고통 속에서 살고 있었을지 몰라요. 가슴 속에 해결되지 않은 고통이나 응어리가 있다면 어떤 책이든 좋으니 매일 10분씩만 읽어보라고 권하고 싶어요. 자신에게 감사함을 느끼는 순간이 오지 않을까 생각합니다.

4. 가지

Q. 다른 독서 모임 경험이 있나요?

  A. 책을 더 자주 읽기 위해 독서 모임에 참여하게 되었어요. 처음에는 그저 책 읽는 보람을 느끼려고 참여했던 독서 모임이 어느새 서로의 의견을 나누는 것이 좋아서 더 적극적으로 참여하게 되었어요. 제 주변은 책을 읽지 않는 사람으로 가득해요. 매일 술 마시는 이야기, 신세 한탄, 다른 사람 험담으로 대화가 채워졌는데, 독서 모임에서는 책에 관련된 이야기만 하더라고요. 그게 너무 좋았어요.

  인스타그램과 관련 없는 사람들이 모인 독서 모임도 참여해 봤어요. 도서를 지정해서 읽는 독서 모임에도 참여해 봤고, 자유 독서 모임에도 참여해 봤어요. 역시 책 이야기만 하게 되어서 좋더라고요.

Q. 책을 읽고 생긴 인간관계가 있나요?

  A. 콕 집어서 누구라고 말할 순 없지만, 독서 모임과

독서 관련 인스타그램을 하면서 긍정적인 사람들을 많이 만났어요. 북콘서트에 참여하여 작가님의 사인을 받기도 했고, 매일 아침 긍정적인 말들을 적어서 인증하는 모임에 참여하기도 했어요.

꼭 누군가와 새롭게 인연이 되려고 책을 읽는 건 아니라고 생각해요. 하지만 주변 사람들이 조금씩 긍정적인 사람들로 채워지고, 내 삶도 긍정적으로 변화하는 모습을 보면 책 읽기를 잘했다는 생각이 드네요.

Q. 책을 꼭 읽었으면 하는 사람이 있나요?
A. 이번 생에서 책과는 인연이 전혀 없다고 생각하는 사람, 학창 시절 공부가 싫었던 사람이 책을 읽었으면 좋겠어요. 그래서 글을 읽는다는 게 괴로움이 아닌, 즐거움이 될 수도 있다는 것을 알았으면 좋겠습니다.

이토록 다정한 독서모임
채소사총사의 책수다

PART 4
삶의 의미를 찾는
고전소설

Part 4. 삶의 의미를 찾는 고전소설

1. 내 영혼이 원하는 삶

(1) 〈달과 6펜스〉 토마토의 책 이야기

〈달과 6펜스〉 줄거리

스트릭랜드는 증권사에 다니는 평범한 40대 가장입니다. 센스 있고, 살뜰히 집안을 돌보는 아내가 있으며, 성실한 아이가 둘 있습니다. 부족하지 않은 재산이 있고, 남부럽지 않은 가정을 꾸려나가고 있습니다. 그러던 어느 날 그는 돌연, 아내에게 편지 한 장으로 이별을 통보합니다.

> *나는 당신을 보지 못하오. 당신과 헤어지기로 마음먹었소. (중략) 다시 돌아가지는 않소. 결정을 번복하진 않겠소. - P.56*

그리고 가족에게 책임감이 없다며 질타하는 이들에게 그는 이렇게 말합니다.

> *그동안 편안하게 잘 살았어요. 어느 집 애들보다 훨씬 더 호강한 셈이오. 게다가 돌봐 줄 사람도 있고, 여차하면 아이들 학비는 이모네가 대 줄 거요. - P.70*

도대체 왜 그가 이렇듯 단호한 결심을 했는지, 도저히 이해가 가지 않습니다. 황당함을 감추지 못하며 결심한 이유를 묻자, 그는 말합니다.

나는 그림을 그리고 싶소. - P.73

5년 후 마주한 그는 천재성을 보이며 계속 그림을 그리지만, 아무도 알아봐 주지 않습니다. 그는 유일하게 그의 천재성을 알아봐 준 이에게 폭언을 일삼고, 도움을 받으면서도 되려 그에게 참을 수 없는 아픔까지 안겨줍니다. 그렇게 스트릭랜드의 예상을 뒤엎은 행보들은 계속됩니다.

〈달과 6펜스〉 주관적 책 소개

〈달과 6펜스〉는 제목부터 호기심을 자극합니다. 달, 그리고 6펜스는 어떤 의미일까요? 작품 해설에는 책 제목을 이렇게 설명합니다.

'달'과 '6펜스'는 서로 다른 두 세계를 가리킨다. (중략) 달이 영혼과 관능의 세계, 또는 본원적 감성의 삶에 대한 지향을 암시한다면, 6펜스는 돈과 물질의 세계, 그리고 천박한 세속적 가치를 가리키면서, 동시에 사람을 문명과 인습에 묶어두는 견고한 타성적 욕망을 암시한다고 생각해 볼 수 있다. - P.342 [작품 해설-민음사]

소설은 두 세계를 극명하고 섬세하게 표현합니다. 남부러울 것 없는 '6펜스'의 삶을 살았던 스트릭랜드는 결국, 자기 영혼의 메시지를 따라 철저히 '달'의 삶을 살게 됩니다. 책을 읽고 '달'의 삶과 '6펜스'의 삶 중 나는 어떤 삶을 추구하고 있는가를 생각해 봤습니다.

작년에 저는 13년간 종사했던 직업에서 벗어나 갑작스럽게 퇴사했습니다. 직장 내에서 충분히 자리 잡아 왔고, 남편과 맞벌이하며 경제적으로도 큰 부족함 없이 살고 있었습니다. 이런 저의 상황을 알기에 주변에서는 제 행동을 이해하지 못하고 만류와 우려의 시선을 보냈습니다. 하지만 저는 지금 꼭 꿈을 이루어야겠다며 직장을 나왔습니다. 그리고 마흔이 된 나이에 한 번도 써본 적 없고, 배워보지도 않았던 소설을 쓰면서, 아무 경험도 없는 책방과 출판사 운영을 준비하고 있습니다. 주변에서는 돈이 되지도 않고, 성공과는 거리가 먼 저의 행보를 의아해하지만, 이것이 지금 제가 해야 할 일이라고 확신했습니다. 물론, 스트릭랜드 만큼은 아니지만, 경제적으로 넉넉하지 못해 발생하는 불편함과 불안함이 있습니다. 그러나 지금 저는 정말 단 하나뿐인 내 삶을 살고 있다는 가슴 벅찬 충만감을 가지고 지내고 있습니다.

삶 속 주어진 선택들에 정답은 없습니다. '달'의 삶을 살아도 '6펜스'의 삶을 살아도, 삶이란 것은 어차피 갈증과 고난과 고독의 연속입니다. 하지만 내가 어떤 삶을 원하는지를 알고, 그 방향대로 살아간다면, 우리는 삶 속의 불가피하고 불편한 감정과 상황들을 조금 더 겸허하게 감당할 수 있지 않을까 생각합니다.

소설 속에서 주목할 것이 또 하나 있다면 그것은 바로 스트릭랜드의 조금 다른 도덕적, 윤리적 잣대들입니다. 호의를 받으면 감사할 줄 알고, 사랑하는 이와는 의리를 지키고, 책임감 있게 살아야 한다는 보편적인 윤리와 도덕에 대해 스트릭랜드는 조금 다른 관점을 보여줍니다.

소설 속 그는 '원하지 않았음에도 불구하고 누군가가 나에게 호의를 베푼다면 그것은 베푼 이의 자기만족을 위한 것이다. 사랑에는 책임은 없고, 그저 감정만 있을 뿐이다. 어디서부터 어디까지 우리는 책임감을 느껴야 할 것인가….'라고 말하는 듯합니다.

누구나, 저마다 소임을 자신의 숙명이라 여기며, 책임감을 견디고 살아갑니다. 많은 이들은 책임감을 가진 이들을 신뢰합니다. 하지만 이 책임감이 자신의 영혼에도 신뢰를 줄 수 있는지 생각해 볼 필요가 있습니다.

'나는 내 영혼에도 신뢰를 주는 사람인가?'

스트릭랜드의 행보들은 가끔 너무도 이해할 수 없고, 뻔뻔스러워서 화가 날 지경입니다. 하지만 돌이켜보면 주변인들이 그를 지켜보며 불편감을 느껴 돕고자 했을 뿐이지, 그 자신은 불편함 없이, 그저 자신이 원하는 삶을 살았습니다. 그는 주변 사람들에게 도와달라고 하지도, 자신을 사랑해 달라고 하지도 않았습니다. 그저 소신껏 자신의 영혼에 충실히 살았을 뿐입니다. 이런 그를 우리는 비난할 수 있을까요? 물론, 그의 행동이 이해하기 힘든 것은 사실입니다. 하지만 이해할 수 없다고 해서 비난을 받아 마땅한 것은 아닙니다. 세상은 예측할 수 없을 만큼 다양한 사람들과 생각들이 공존하고 있고, 또 그런 다채로움이 세상을 더 사랑스럽게 만들고 있습니다.

소설 〈달과 6펜스〉를 읽고 저 자신에게 두 가지 질문을 던져봅니다.

"나는 정말 내가 원하는 삶을 살고 있는가?"

"나는 사회적, 관습적 기준으로만 타인을 재단하고 있지는 않나?"

〈달과 6펜스〉는 저의 인생 책이 되었습니다. 스트릭랜드와 그를 둘러싼 세상은 흥미로우면서도 소란한 자유로움이 느껴져 꽤 마음에 듭니다.

(2) 〈달과 6펜스〉 책수다 이야기

〈달과 6펜스〉 줄거리

토마토 오늘 선정 도서는 서머싯 몸 〈달과 6펜스〉입니다. 이 책을 선정한 이유는 15년 독서 모임 운영자가 모임 후기를 다룬 책 〈나는 오늘도 책 모임에 간다〉에서 저자가 인생 책이라고 언급했던 것이 인상 깊어서였어요. '15년 독서 모임 중독자의 인생 책은 어떤 책일까?' 하는 생각이 들었어요.

당근 저는 책을 절반 정도까지밖에 못 읽었어요.

가지 저도요.

토마토 괜찮아요. 어차피 제가 이야기 할머니 하기로 했어요. 어디까지 읽으셨어요?

당근 저는 스트릭랜드가 아내와 결별을 선언한 곳까지요.

토마토 혹시 5년 후에 관찰자와 다시 만난 부분까지 갔나요?

당근   아니요.

가지   저는 스트로브가 아내를 쫓아다니는 부분까지 봤어요.

브로콜리   저는 전혀 못 읽었어요. 요즘 책을 쓰고 있어서 시간 여유가 너무 안 생기네요.

토마토   괜찮아요. 그럼, 제가 지금부터 이야기 할머니 합니다. 스트릭랜드는 남들이 부러워할 정도로 가정을 잘 꾸려나가던 평범한 가장입니다. 내조를 잘하는 아내가 있고, 멋진 두 아이가 있어요. 그런데 갑자기 아내에게 일방적으로 결별을 선언합니다. 그가 결별을 선언한 이유는 그림을 그려야겠다는 것이었어요. (편집!) 그런데 그와 함께 술을 마셔요…. (편집!) 5년 후 그를 다시 마주해요. (편집!)

일동   아~

토마토   그런데! 스트로브 아내가 그를 따라가겠다는 거예요.

당근   (두둥!) 네에~?

토마토   그런데 스트로브는 오히려 집을 내줘요.

당근   (두둥!) 뭐라고요?

토마토   그런데 죽어요.

당근   (두둥!) 엄마야~

토마토   스트로브는 오히려 함께 고향으로 가자고 해요.

당근   (두둥!) 네에~?

토마토   스트릭랜드는 오히려 그렇게 말해요.

당근   (두둥!) 와~ 진짜요? 어쩜 그래요?

가지   저도 이 부분은 정말 이해가 안 갔어요.

토마토   그렇게 죽어요.

당근   (방청객 모드) 아~

토마토   이렇게 이야기가 진행됩니다. 어떠셨어요?

당근   와~ 진짜 흥미진진하네요.

토마토   너무 재미있게 들어주셔서 이야기하는데 신났어요.

〈달과 6펜스〉 책에 대한 감상

가지   너무 이해 안 되는 점들이 많았어요. 욕이 나올 뻔했어
        요. 고갱을 모티브로 했잖아요. 고갱이 이 정도예요?

토마토   (웃음) 글쎄요. 이 정도는 아니라고 하던데…. 아내에게
        결별을 선언할 때 스트릭랜드는 오히려 이렇게 말하죠.
        '아내와 아이들은 이제까지 충분히 누렸다. 아내는 아
        직 젊으니 재혼해서 잘 살 것이고, 아이 학비는 부자인
        이모가 대 줄 것이다. 아이들이 어렸을 때는 귀여웠지
        만, 지금은 별 감흥도 없다.' 이런 식으로요. 그리고 스
        트로브의 아내가 죽은 후에도 그녀의 선택일 뿐이라며
        동정조차 하지 않아요. 그때는 정말 상종을 못 할 사람
        이라고 생각했죠.

가지   맞아요. 정말 이해 안 돼요.

토마토   그런데 저는 스트릭랜드가 좀 이해가 가기도 했어요.

저도 어쩌면 덜컥 자아실현을 위해 퇴사를 한 경우라서 준비성, 책임감이 없다고도 할 수 있죠. 그래서 저는 그의 갈증이 이해가 갔어요. 우리는 영혼의 갈증에 상관없이 주어진 역할을 위해서만 달려왔어요. 자아실현은 매번 미뤄지곤 하죠. 어쩌면 그가 선택한 타이밍이 적기가 아닌가 하는 생각도 했어요.

가지 음….

토마토 책에서는 도덕적인 측면을 다른 관점으로 보죠. 스트로브 아내의 선택은 그녀가 자초한 일이 맞아요. 그녀가 스스로 선택한 결정이었어요. 스트릭랜드는 그녀에게 미리 말했고, 그녀에게 아무 요구도 하지 않았어요. 스트릭랜드가 아팠을 때, 스트로브가 그를 집에 데려왔던 행위들도 마찬가지죠. 아픈 그를 지켜볼 수 없었던 것은 스트로브였어요. 그는 오히려 그냥 내버려두라며 욕을 퍼부었는데 굳이 집으로 데려가 간호했죠. 이쯤에서 어떤 책이 떠올라요. 아잔 브람 〈술 취한 코끼리 길들이기〉라는 책인데요. 어떤 귀가 들리지 않는 이가 있는데, 어렵게 가족이 그를 데리고 수술을 시켜줘요. 귀가 들릴 수 있게요. 그런데 그는 가족을 원망하며 말하죠. 그 자신은 듣기를 원하지 않았다고요. 우리는 자주 '당연히 그럴 것이다.' 하고 생각해요. 하지만 우리가 당연하게 여기는 것들도 다시금 생각해 보아야 하는 것 같아요.

〈달과 6펜스〉 책의 제목에 대해

가지   저는 끝까지 책 제목의 의미를 모르겠더라고요.

토마토   책의 작품 해설에 나와 있는데, 여기서 '달'은 영혼이 원하는 길이나, 영혼이 지향하는 것을 상징하고, '6펜스'는 현실적인 측면을 상징한다고 해요.

가지   저는 '6펜스'가 '소설 속 카페에서 커피 한 잔 값일까?' 하는 생각도 해봤어요. 소설 속에 6펜스가 숨어있을 것 같았어요.

일동   (빵 터짐)

토마토   6펜스는 한화로 100원 정도래요. 달과 비슷하게 생긴 은색의 동그란 것인데, 전혀 다른 상징을 담고 있죠.

그냥 다른 이야기들

토마토   음⋯. 다들 요즘 어떻게 지내셨어요? 글 쓰는 건 어때요? 지하철로 출근하시는 건 어때요? 음⋯. 도와주세요. 〈달과 6펜스〉 줄거리까지 다 전해드렸는데, 이제 우리 무슨 이야기 하죠?

일동   (빵 터짐)

브로콜리   (웃음) 음⋯. 우리 요즘에 어떤 책 읽는지 이야기할까요?

가지   좋아요. 저는 요즘 모드 르안 〈파리의 심리학 카페〉를 읽고 있어요. 카페에서 상담을 해주는 이야기입니다.

토마토   카페에서 돈을 받고 상담을 해주는 시스템인가요?

가지   (가지 당황) 글쎄요……. 그런 건 책에 안 나오는데…….

일동   (빵 터짐)

토마토   소서림 〈환상서점〉 읽어보셨어요? 저 어제 이 책 끝까지 읽느라 새벽 2시까지 잠을 못 잤어요.

가지   그거 저는 오디오북으로 들었어요.

당근   와~ 오디오북도 재미있겠어요. 드라마로 나왔으면 좋겠어요. 너무 재밌어요. 심쿵하고….

토마토   맞아요~ 오디오북도 들어보고 싶네요. 저는 남자 주인공으로 어떤 배우가 했으면 좋겠다는 생각도 했어요.

일동   누구요?

토마토   황민현이요. 아세요? 아이돌인데, 하얗고, 잘생겼는데 좀 신비한 느낌이 있어요.

당근   알아요~

토마토   후반부에 백허그하면서 '이런 순간을 내가 얼마나 기다렸는지 알아.' 하는데, 으아~~~

가지   근데 오디오북은 배우가 나이가 좀 있으세요. 그래서 이런 느낌은 아닌 것 같아요.

일동   (빵 터짐)

당근   아~ 완전 아쉽네요.

토마토   정말 그렇네요. 황보름 〈어서 오세요, 휴남동 서점입니다〉라는 밀리의 서재에 이수혁 님이 더빙했잖아요.

당근	그래요?
토마토	네~ 책 내용에서 좀 각색했는데, 이수혁 님 목소리가 또 엄청 좋잖아요.
당근, 브로콜리	아~ 그렇죠.

채소사총사는 이어서, 소설 글쓰기 강의 정보들을 교환하고, 책 쓰는 과정에서 애로사항도 나눴어요. 이날은 '책'에 관해 미뤄뒀던 수다들을 마음껏 쏟아냈답니다. 역대급으로 웃었던 시간이었어요. 준비가 되지 않아도, 책을 다 읽지 않아도, 생각이 달라도, 오히려 더 재미있는 시간을 만들 수 있는 것은 채소사총사의 깊은 공감과 열린 마음 덕분이지 않나 생각해 봅니다.

지금까지 매력덩어리 가지, 리액션 부자 당근, 센스쟁이 브로콜리, 이야기 할머니 토마토였습니다.

2. 악마를 만든 어른들의 시선

(1) 〈나의 라임오렌지 나무〉 토마토의 책 이야기

〈나의 라임오렌지 나무〉 줄거리

　제제는 5살 아이로 호기심이 많아서 다양하고 어려운 질문들을 쏟아냅니다. 그리고 예민하게 현상과 감정들을 알아채고는 합니다. 그런 제제를 가족들과 동네 사람들은 악마라고 부르고, 제제 자신도 스스로를 작은 악마라고 생각합니다. 하지만 제제의 선생님과 몇몇 친구들은 제제를 착하고, 다시 없을 천사라고 합니다. 그런 제제에게는 라임오렌지 나무 친구가 있습니다. 소설은 제제가 겪는 다양한 에피소드들을 이야기합니다.

〈나의 라임오렌지 나무〉 주관적 책 소개

　J.M.바스콘셀로스 〈나의 라임오렌지 나무〉는 심한 장난꾸러기이면서도 성숙하고 영리한 생각을 하는 5살 제제의 이야기를 담은 책입니다. 제제를 보고 어떤 이는 더 없는 천사로 부르지만, 어떤 이는 그를 못된 악마라고 말합니다.

　제제를 악마로 보는 이들은 그의 심한 장난과 그가 하는 답하기 어려운 질문들이 탐탁지 않아서입니다.

　너도 좀 다른 애들처럼 굴어. 욕을 하는 건 괜찮은데 그 조그만 머리로

제제의 가족들 또한 비슷한 이유로 제제에게 정신적, 신체적 학대를 일삼습니다. 그래서 제제 자신 또한 스스로를 작은 악마라 믿어 의심치 않으며, 태어날 가치가 없었던 아이로 여깁니다. 제제는 극심한 학대에도 불구하고 마음에서 솟구치는 장난과 질문에 대한 갈증을 멈출 수 없었고, 그럴수록 학대는 꼬리의 꼬리를 물고 이어집니다.

그런 제제를 천사로 바라보는 이들은 오히려 그의 깊이 있는 질문과 순수성에 매료됩니다. 그의 든든한 친구인 라임오렌지 나무 밍기뉴, 그의 세심한 배려에 감동한 쎄실리아 빠임선생님, 가족 중 유일하게 그를 학대하지 않고 편을 들어주는 글로리아 누나, 그의 제안으로 파트너가 되어 함께 듀엣을 하며 악보를 팔게 된 아리오발두 아저씨, 그를 친아들같이 아끼며 우정을 쌓아가는 뽀르뚜가까지 그를 아주 소중히 여깁니다.

제제는 이제 막 5살인 아이일 뿐인데 사람들은 왜 이렇게도 극단적으로 다른 시선으로 바라보는 것일까요?

저는 어린 시절부터 질문과 생각하는 것을 좋아했습니다. 제가 엉뚱한 생각이나 질문을 하면, 누군가는 다시 한번 생각해 볼 수 있는 좋은 기회라고 여기지만, 대부분 사람은 쓸모없으면서도 어려운 질문이라며 꺼리고는 했습니다. 그래서 저는 점점 사색하고 질문하기를 망설

였고 주변의 눈치를 보게 되었습니다. 그렇게 상처받아 온 저의 내면 아이는 여전히 움츠러드는 자신을 다독이며 눈치 보지 않은 척 어깨를 펴보려고 애쓰고 있습니다.

어쩌면 제제는 저의 내면 아이같이 느껴집니다. 저 스스로가 저의 내면 아이에게 향했던 다양한 시선들은 제제를 악마 또는 천사로 보는 사람들의 시선처럼 느껴집니다. 저도 제 내면 아이를 외면하고, 존재의 가치가 없다고 여기며 원망했습니다. 그러다 가끔은 안쓰러워하며 이 또한 의미가 있을 것이라 다독였습니다. 저의 내면 아이는 그저 존재하는 것이었는데 저 자신도 함부로 여기며 폭력적으로 대한 것 같습니다. 저는 내면 아이 덕분에 이렇게 단단해질 수 있었는데 말입니다.

〈나의 라임오렌지 나무〉를 읽고 나 자신이 나의 내면 아이에게 보낸 날카로운 시선에 대해 반성하고, 이제는 제제를 향한 뽀르뚜가처럼 따뜻한 시선으로 바라봐야겠다고 생각했습니다. 나의 순수성과 예민함을 다시 없을 천사라 여기고 안아 줄 것입니다. 나와 나의 내면 아이가 함께 삶이라는 넓은 들판을 자유롭게 뛰어놀았으면 좋겠습니다.

더불어 다른 이에게도 마음을 곡해하지 않는 사람이 되어야겠다고 다짐해 봅니다. 소설을 읽으며 사람의 마음을 곡해하는 일처럼 잔인한 일이 없다는 것을 다시금 느껴봅니다. 우리는 자신의 내면 아이도, 주변의 사람들도, 제제도, 모두 악마가 아닌 천사로 바라보는 선택을 할 수 있습니다. 다른 이의 순수한 면을 더 깊이 들여다보고 안아 줄 수 있는 우리가 되었으면 합니다.

〈나의 라임오렌지 나무〉는 브라질 역사상 가장 많은 판매 부수를 기록하고 전 세계 20여 개국에 번역되어 출간되었습니다. 전 세계가 사랑한 이 책을 읽으며 저 또한 제제의 순수함으로 마음을 정화해 볼 수 있었습니다.

(2) 〈나의 라임오렌지 나무〉 책수다 이야기

〈나의 라임오렌지 나무〉 책에 대한 감상

토마토　오늘은 제가 선정한 도서 〈나의 라임오렌지 나무〉입니다. 많은 이들이 인생 책으로 추천하기도 하고, 청소년 권장 도서로 손꼽히는 책이라서 어떤 책인지 깊이 들여다보고, 이야기를 나누면 의미가 있을 것 같아서 선정해 보았습니다.

당근　슬픈 장면들이 많이 나왔어요. 제제가 학대당하는 장면은 특히 너무 안타까웠어요. 후반부에 구원자가 나타나지만, 그 또한 멀리 떠나가 버려서 오열을 부르는 소설이었어요. 저는 이 소설에서 시선의 차이가 인상적이었어요. 같은 행동에도 다르게 바라보는 시선이요. 제제는 그저 어린아이일 뿐인데, 어떤 사람은 악마라고 부르고, 어떤 사람은 천사라고 하죠. 결국, 아이를 천사로 만드는 것은 어른의 몫이라는 생각도 들었어요.

토마토   정말요. 한 인간인데, 어쩜 이렇게까지 다른 시선으로 바라볼 수 있는지가 너무 확연하게 느껴졌던 것 같아요.

가지   제제가 임산부에게 뱀 장난을 하는 건 정말 위험해 보였지만 선생님 탁자에 놓인 꽃병에 꽃을 놓아주고, 선생님께 간식비를 더 가난한 아이에게 주도록 요청하는 장면들을 보면 확실히 선한 아이라는 생각이 들어요. 이런 아이에게 악마라고 표현하는 것은 정신적 학대예요.

토마토   가지님은 아이를 별로 좋아하지 않는다고 하셨는데, 제제 같은 아이는 어떠세요?

가지   음…. 심한 장난만 아니라면 괜찮을 것 같아요.

토마토   (웃음) 저도 뱀 장난이나 문지방에 초를 발라서 미끄러지게 하는 장난들은 정말 위험하다고 생각했어요. 오르한 파묵의 〈소설과 소설가〉에서 그런 말이 나오더라고요. 소설가는 너무 악한 캐릭터는 조금의 선한 면을 더하고, 너무 선한 캐릭터는 조금은 악한 면을 더한다고요. 소설의 재미를 위해서요. 〈나의 라임오렌지 나무〉를 읽으면서 '정말 그렇구나.' 하는 생각이 들었어요. 소설은 제제의 심한 장난들 때문에 가끔 제제도 좀 과했다는 생각을 하게 해요. 제제라는 선한 캐릭터에 욕설과 장난이라는 악한 면을 더한 것이죠. 이는 소설에 생동감을 살려주는 것 같아요. 정서적 학대라는 표현은 정말 너무 공감해요. 아이 스스로 자신을 악마라 믿어 의심치 않고, 쓸모없다는 표현을 한다는 건 정말이지 너무 슬프게 다가왔어요.

브로콜리 저는 아이를 키우면서 든 생각인데 어쩌면 아이가 장난이 심한 것은 당연한 일이라고 생각해요. 학대 말고 다른 방법으로 돌봐 줄 수 있는 사람이 있었으면 해요.

토마토 맞아요. 저도 아이를 키우니 정말 그런 생각이 들었어요. 후반부에 그렇게 돌봐 주는 이가 등장하잖아요. 제제와 우정을 쌓아가며 결국은 친아들처럼 제제를 사랑하고 아끼는 뽀르뚜가요. 소설 속 뽀르뚜가는 정말 좋은 어른으로 느껴져요.

〈나의 라임오렌지 나무〉 제제가 특별한 이유

가지 저는 제제가 맑다는 것이 특별한 것 같아요. 혼나도 계속 맑은 영혼을 유지한다는 것이요. 그리고 나무에 밍기뉴, 슈르르까라는 이름을 붙여준 것도요.

당근 저는 5살인 제제가 의젓하고 책임감 있는 부분이 특별하게 느껴졌어요. 특히 동생을 돌볼 때는 기분이 좋지 않을 때라도 기꺼이 동물원 놀이를 하고, 원하는 곳을 함께 가 주는 모습에서 다른 형, 누나보다 어른스러운 느낌을 받았어요. 특히, 루이스 왕이라고 표현하며 동생을 진심으로 아끼는 모습이 인상 깊었어요.

토마토	저는 제제의 감수성, 예민함이 특별하게 느껴졌어요. 40살이 된 저도 지금 제가 하는 행동들의 의미를 찾지 못하고 있는데, 제제는 5살의 아이가 질문하고, 어떤 행동과 생각에도 분명한 의미가 있다는 것은 역시 예민함에서 비롯된 것 같아요.
브로콜리	저는 당근님처럼 동생을 돌보는 장면이 특별하다고 생각했는데, '그 행동을 특별하다고 표현하는 것이 맞나?' 하는 생각이 들었어요. 어쩌면 그런 행동은 어른들과 환경에서 비롯된 것은 아닐지 생각했어요. 특히, 아빠에게 담배를 사주기 위해 돈을 버는 장면은 충격적이었어요.
토마토	저는 제제의 성숙함은 그의 타고난 성향이라고 생각했었어요. 예민함과 감수성에서 비롯된 것이요. 하지만 이야기를 들어보니, 환경의 영향으로 변화해 갔을 수 있겠다는 생각도 드네요.

〈나의 라임오렌지 나무〉 책 속에서 인상 깊었던 에피소드

가지	저는 특히, 책 속에서 구두 값을 받는 장면이 정말 인상 깊었어요. 자신의 실력이 부족하니, 돈을 더 받지 않겠다는 마인드요.
토마토	맞아요. 친구에게는 돈을 받지 않는다는 부분도요. 결국은 돈을 빌려 가는 것으로 마무리되었죠.
당근	그리고 선생님에게 꽃을 꽂아주는 부분이나, 선생님이

꽃을 더 이상 꽂지 않아도 된다고 하며, 이야기하는 부분도 너무 인상 깊었어요.

토마토 맞아요. 간식비를 주지 않아도 된다며 더 가난한 다른 아이에게 간식비를 줬으면 한다는 부분이요.

브로콜리 그리고 거짓말은 어른들이 하면 나쁘지 않다고 하는 부분이 있는데, 거짓말이나 욕 같은 것들이 너무 자연스럽게 아이에게 노출이 되어, 소설 속 아이들은 어른이면 욕을 해도 된다고 받아들이게 되어버렸어요.

토마토 저는 아빠가 제제를 때리는 장면이 너무 가슴 아팠어요. 아빠를 위로하기 위해 부른 노래 가사가 '나는 벌거벗은 여자가 좋아'였는데, 제제는 가사와 상관없이 멜로디가 좋아서 노래를 부르고, 아빠는 그런 제제를 때리면서 더 해 보라고 하죠. 제제는 아빠가 시킨 대로 계속 부르고, 아빠는 제제가 계속해서 노래를 부르는 것이 반항하는 것처럼 느껴져서 계속 때려요. 제제는 생각하죠. '노래를 계속 불러야 하나? 그만해야 하나?' 하고요. 아빠를 위로하기 위해 노래를 시작했다는 것이 더 안타까워졌어요.

당근 맞아요. 정말 그런 것 같아요. 책 속 그림도 너무 슬퍼요.

어린 시절 최대의 장난?

가지 저는 장난을 자주 치지는 못한 것 같아요. 최대 장난이 초인종 누르고 도망가는 것이었어요.

토마토, 브로콜리	(웃음) 에이~~
토마토	하긴 생각해 보니, 저는 그런 장난도 안 쳐본 것 같네요. 근데 초인종을 누르고 도망가는 것은 어떤 포인트가 재미있는 거예요?
가지	(가지 당황) 글쎄요. 그냥 다른 친구들이 해서 같이 했던 것 같아요.
토마토	(웃음) 그렇군요. 그냥 궁금해졌어요.
브로콜리	(웃음) 사람들이 당황하는 모습이 재미있지 않았을까요?
가지	커서는 애들이 초인종 누르고 도망가는 장면을 목격하고는 하죠. 도망가는 애를 잡아보기도 하고, 어떤 때는 본인이 초인종을 누르고는 안 누른 척 앉아있기도 하고 그래요.
일동	(웃음) 귀엽네요.
브로콜리	저는 종종 '좀 더 장난을 치면서 어린 시절을 보내봤으면 어땠을까?' 하는 생각이 들어요. 장난도 치고 말썽도 부리면서 자란 아이들이 유머러스하고 여유가 느껴지기도 해요. 돌발 상황에서도 의연하게 대처하고요.
토마토	저희 남편은 시골에서 자랐거든요. 저와 같은 세대인데, 고무신을 신고 다녔다고 해요. 집 뒤 대나무밭에 불을 내기도 하고, 개구리도 잡아먹고, 장난도 정말 많이 쳤데요. 확실히 그래서인지 좀 더 삶에 여유가 느껴지기도

하고, 단단한 느낌도 있어요. 우리는 장난을 조금 더 쳤어야 했네요.

〈나의 라임오렌지 나무〉 출판사별 책의 특징?

토마토   저는 동녘 출판사 책인데, 여러분들은 어디 출판사예요?

가지   저는 소담출판사인데, 예전에 사둔 것이어서 그림도 흑백이고, 책 가격이 4,000원이에요. '국민학교'라는 단어도 나와요.

브로콜리   저도 토마토님과 같은 책이에요. 7,000원이요.

당근   저는 양장본인데 16,000원이고, 그림은 초판 연필그림이라 어떤 의미인지 잘 모르겠어요. 토마토님 책 속 그림 너무 예쁘네요.

브로콜리   그리고 제가 읽은 책은 2010년 버전이라서 그런지, 연극체같은 느낌이었어요.

토마토   연극체는 어떤 느낌을 말할까요?

브로콜리   조금 과장된 표현이랄까? 책을 읽어주는 느낌이 들기도 하고, 강하게 감정이나 상황을 표현하는 것처럼 느껴져요.

토마토   출판사를 확인하고 책을 구매하는 분들이 많아요. 특히, 고전소설은 더욱 출판사가 책 선택 기준이 돼요.

브로콜리   맞아요. 번역가를 따라서 책을 읽는 분들도 많아요.

토마토   저도 이전에는 그런 것을 잘 못 느꼈었는데, 어떤 책 번역이 만족스럽지 않았던 적이 있었어요. 문장이 매끄럽게 이어지지 않는 느낌이랄까…. 책의 내용은 전체적으로 좋았는데 번역이 아쉬웠어요. 그리고 무라카미 하루키 〈도시와 그 불확실한 벽〉은 번역이 너무 좋았어요. 애매하고 추상적인 표현들이 많은 소설임에도 불구하고 매끄럽게 읽히는 것이 적절한 단어, 문장들을 사용한 것 같이 느껴졌어요. 그래서 처음으로 번역가를 찾아본 소설이었어요.

브로콜리 맞아요. 저도 한요셉 〈핵가족〉이라는 소설이 소재도 특별했지만, 문장이 너무 예쁘다고 생각했어요.

당근 그 소설 한번 읽어보고 싶네요.

〈나의 라임오렌지 나무〉 책수다를 마무리하며

가지 어린 시절 생각이 많이 났어요. 같은 소설에 대한 다양한 사람들의 생각을 간접적으로 듣게 되니 재미있기도 했어요. 멋진 말로 마무리하고 싶지만, 이게 최선이네요.

토마토 충분히 멋진 표현입니다.

당근 저는 드라마를 보듯 소설을 읽는 편이에요. '제제가 슬픈 삶을 살았다….' 정도의 생각을 하며 이 책을 읽었는데, 이야기를 나누면서 소설을 바라보는 다양한 시각들을 공유할 수 있어서 좋았어요. 그리고 특히, 좋은 어른, 좋은 사람 같은 주제로 이야기하는 것이 정말 좋았어요.

브로콜리 이렇게 화상으로 하는 독서 모임은 처음이라서 두려웠어요.

내 생각에 확신이 부족해서 생각을 표현하는 것에 불편함을 느낀 것도 사실이에요. 하지만 모임으로 생각지 못한 부분까지 생각하게 되어서 너무 좋아요.

토마토 우리 브로콜리님. 갑자기 고백하시는 것 같은데요?

브로콜리 맞아요. 고백이에요. 우리 모임 정말 재미있어요.

토마토 좋네요. 저는 '내가 겉으로 보이지 않는 그 사람의 내면까지 들여다볼 수 있는 사람이었으면 좋겠다.' 하고 생각했어요. 우리 이전 독서 모임에서 그런 문장 있었잖아요. 어떤 책이었죠? 미워하는 사람이 있으면 그 사람의 24시간을 들여다보라는 문장이요.

가지 〈지금, 여기를 놓친 채 그때, 거기를 말하들〉이요.

토마토 맞네요. 우리가 함께 읽은 책들이 쌓이니 이렇게 공감대가 형성되네요. 그렇게 상대의 24시간을 들여다볼 수는 없겠지만 저마다 속사정과 다양한 마음들이 있을 테니 그것들을 알아봐 줄 수 있는 사람이 되고 싶어요.

지금까지 공감에 진심인 당근, 육아에 진심인 브로콜리, 질문에 진심인 토마토, 초인종에 진심인 가지였습니다.

3. 졸고 있는 의식이 빚은 부조리의 통찰

(1) 〈이방인〉 가지의 책 이야기

〈이방인〉 줄거리

　회사에서 선하증권과 관련된 업무를 하는 평범한 직장인 뫼르소. 어느 날 어머니가 돌아가셨다는 소식을 듣고, 휴가를 내서 어머니의 장례식을 치릅니다. 그리고 장례식 다음 날 마리라는 여자 친구와 사랑을 나누며 어머니의 죽음을 담담하게 맞이합니다. 뫼르소의 태도는 일관되게 방관적이며, 그저 자기 삶과 세상을 관찰할 뿐이었고, 이따금 수동적으로 세상일에 개입합니다. 그러다 레몽이라는 친구와 엮이게 되며 사건들이 벌어집니다.

> *방아쇠가 당겨졌고, 권총 손잡이의 매끈한 배가 만져졌다. 그리하여 날카롭고도 귀를 찢는 소리와 함께 모든 것이 시작되었다. 나는 땀과 태양을 흔들어 털었다. 나는 내가 대낮의 균형과, 내가 행복을 느끼고 있었던 어느 바닷가의 그 특별한 침묵을 깨뜨려 버렸다는 것을 깨달았다. - P.77*

　사건 후, 세상은 사건과 상관없는 뫼르소의 '이방인' 같았던 행동까지 비난하며, 그를 점점 더 파렴치한으로 몰고 갑니다.

〈이방인〉 주관적 책 소개

> *오늘 엄마가 죽었다. 아니, 어쩌면 어제. - P.13*

　예전 소설 수업을 들을 때 인상적인 도입부로 꼽혔던 문장입니다.

엄마가 죽었는데 언제 죽은 줄도 모르다니, 주인공의 성격을 말해주는 문장이기도 합니다.

저는 작가, 더 정확히 말하자면 소설가의 꿈을 이루고 싶어 소설 수업을 들었습니다. 그때 〈이방인〉이라는 작품을 많이 들어서 궁금했습니다.

전반적인 소감을 말하자면, 고전소설 중 제 취향에 맞고 읽기 쉬웠던 책은 이 책이 처음이었습니다. 작품 속 배경인 프랑스 식민지 알제리(1962년 독립)의 사막이 상상되면서 사건들이 전개되는데 이런 부분들이 제 취향에 맞았던 것 같습니다.

> *그리고 생각나는 것은 성당, 보도 위에 서 있던 마을 사람들, 묘지의 무덤 위에 놓인 붉은 제라늄 꽃들, 페레스의 기절, 엄마의 관 위로 굴러떨어지던 핏빛 흙, (중략) 그리하여 이제는 잠자리에 들어 열두 시간 동안 실컷 잘 수 있겠구나 하고 생각했을 때 내가 느꼈던 기쁨이었다. - P.29~30*

이 책은 2부로 이루어져 있습니다. 1부에서는 어머니의 죽음부터 주인공이 아랍인을 향해 총을 쏘는 장면까지를 다루고 있으며, 2부에서는 법정 공방에 대해 다루고 있습니다. 1부에서 2부로 넘어가며 어떻게 분위기가 바뀌는지 지켜보는 것도 이 책을 읽는 포인트라고 할 수 있겠습니다.

> *요컨대 〈이방인〉은 삶과 죽음의 이미지를 고전적인 소설의 형식 속에 담아 놓은 소설이다. 카뮈는 스스로 이렇게 말했다. "이 책의 의미는 정확*

하게 말해서 1부와 2부 사이의 평행 관계에 있다." 소설 1부는 그날그날의 별 의미 없는 뫼르소의 생활을 묘사한다. 그리고 2부의 법정에서 그 생활과 행동의 의미가 해석된다. - P.202 [작품 해설-민음사]

2부에서 법정 공방이 끝난 후, 지금까지 모든 자극에 대해 덤덤했던 주인공이 결국 자신을 찾아온 사제에게 감정을 토해내는데, 그 부분도 인상적입니다.

내가 살고 있는, 더 실감 날 것도 없는 세월 속에서 나에게 주어지는 것은 모두다. 그 바람이 지나가면서 서로 아무 차이도 없는 것으로 만들어 버리는 거야. (중략) 그의 그 하느님, 사람들이 선택하는 삶들, 사람들이 선택하는 운명들, 그런 것이 내게 무슨 중요성이 있다는 거야? - P.145~146

〈이방인〉은 문학사적으로 실존주의적 소설에 속합니다. 실존주의란 인간이 극한의 상황에서 어떤 모습을 보여주느냐에 초점을 맞춘 것으로, 서양에서는 제2차 세계 대전 후, 우리나라에서는 6.25 전쟁 이후에 나오게 되죠. 물론 책수다 모임에서는 '어느 정도가 극한 상황일까?'하는 논쟁이 있긴 했습니다.

그렇다면 왜 소설의 제목이 〈이방인〉일까요? 읽어보면 느끼시겠지만, 주인공은 사람들이 흔히 관심을 두는 결혼이나 출세에 흥미가 없습니다. 또한 당시 대부분의 유럽 사람이 종교를 가지고 있음을 고려할 때, 그는 종교에도 관심이 없죠. 결국, 그는 대다수 사람과 무언가 다른 사람, '이방인'이 되는 것입니다.

고전소설은 보통 어렵고 지루한 경우가 많습니다. 1,800쪽 이상이 되는 표도르 도스토옙스키 〈카라마조프가의 형제들〉처럼 완독하는 것이 하나의 임무처럼 느껴지기도 합니다. 그래서 저는 〈이방인〉을 추천합니다. 총 200쪽도 안 되는 얇은 분량에 부담 없이 읽을 수 있고, 무엇보다 재미있습니다.

(2) 〈이방인〉 책수다 이야기

〈이방인〉 책수다를 시작하며

일동 생일 축하합니다. 사랑하는 브로콜리님의 생일 축하합니다.

토마토 생일 축하드려요. 생일 어떻게 보내셨어요.

브로콜리 아이랑 남편이 꽃다발을 줬어요. 아이가 자기가 준 거라며, 엄청나게 뿌듯해했어요.

토마토 특별한 생일이네요. 아이의 순수함이 참 좋아요.

〈이방인〉 책에 대한 감상

가지 이 책은 제가 추천했는데요. 이전에 모임 했던 〈달과 6펜스〉를 사면서 배송비 때문에 함께 샀어요. 잘 쓰인 소설책으로 〈이방인〉과 〈설국〉을 꼽잖아요. 궁금하기도 하고, 고전소설치고 짧은 책이라서 부담이 덜 하기도 했어요.

토마토 그러셨군요. 책은 어떠셨어요?

가지 정말 제 스타일이에요. 생각보다 잘 읽혔어요. 러시아 소설 〈카라마조프가의 형제들〉, 〈백치〉를 읽다가 이 책을 읽으니 너무 편했어요. 처음에는 너무 이해되지 않았죠. 엄마의 죽음에도 무심한 듯한 태도도 그렇고, 왜 총을 쏜 건지도 납득이 가지 않았고요. 그런데 어느새 제가 뫼르소의 편을 들고 있었어요. 재판부에서 기독교적 대사들로 그를 너무 파렴치한으로 몰고 가니, 너무한 것 아닌가 하는 생각도 들고요. 살해당한 피해자 말은 한마디도 나오지 않고, 피해자와 관련된 내용도 전혀 나오지 않아요.

당근   저도 총을 쏜 장면이 너무 흘러가듯 지나가서 재판받는 장면을 읽다가 앞부분으로 돌아가서 다시 봤어요.

토마토   맞아요. 의도적으로 살인죄에 대한 의미는 배제한 듯했어요.

가지   피해자 아랍인이 식민지 사람이라서 그 사람을 배제한 것인가 하는 생각도 들었어요.

토마토   그럴 수도 있겠네요.

〈이방인〉 출판사별 책 해석의 차이

토마토   브로콜리님 제안으로 우리 각자 다른 출판사의 책을 읽게 되었죠. 다들 어떤 출판사 책을 읽으셨나요? 저는 문예 출판사이고, 이휘영 님이 번역과 해석을 하셨어요.

가지   저는 민음사 책을 읽었어요. 김화영 옮긴이의 해석, 로제 키오의 해설, 작가에게 보낸 편지와 답장이 있네요.

당근   저도 민음사예요.

브로콜리 저는 문학평론가 복도훈 님의 해석, 반니 출판사 책이요. 제 책 표지 예쁘죠?

토마토 정말 그렇네요. 다른 해석을 비교해 보는 재미도 있을 것 같아요. 제 책 해석에는 이런 표현이 있어요. '졸고 있는 의식이 불가피하게 허망한 모순에 부딪혀 부조리를 낳게 되는 귀결을 보여주는 것이 〈이방인〉이다.'라고요. 의식을 깨워서 부조리에 대해 명확히 인식해야 함을 의미하는 것 같아요.

브로콜리 반니 출판사의 해석에는 '무관심한 인간, 부조리한 사람, 그리고 반항이 자신이 생각한 유일한 방법이라 생각했다.'라는 부분이 있어요.

토마토 제 책에도 반항이라는 단어가 강조되어 있는데, 그 의미는 풀어서 설명하기가 어렵네요. 그리고 저는 마지막 부분에서 뫼르소는 왜 이런 생각을 했는지가 궁금했어요.

> *다만, 내가 처형되는 날 많은 구경꾼들이 모여들어 증오의 함성으로 나를 맞아주었으면 하는 것뿐이었다. - P.148*

브로콜리 제 책에서는 '누가 와줬으면 좋겠다.'라는 것은 진정한 자유의 의지라고 해석해요.

토마토 해석에는 이런 말도 있어요. 뫼르소는 삶에 어떠한 일도 그에게는 무관한, '이방'이기 때문에 해변가의 쾌락, 육체적 사랑 등을 제외하고는 삶에 무관심했는데, 사형선고를 받고서야 생명에 무한한 애착을 느끼지만, 세계는 이미 그에게 무관심해졌다고요. 그리고 세계가 처음으로 그에게 무관심해지니, 그가 다정스러운 무관심에 마음을 열고 행복했다고 나와요.

브로콜리 그리고 〈이방인〉이 실존주의 문학 소설이라고 해요.

토마토 맞아요. 책 소개부터 실존주의 문학이란 단어가 나오는데, 실존주의 문학이 뭘 말하는 거죠?

가지 실존주의 문학은 어떤 극한의 고난 속에서 인간 본연의 모습을 나타내는 것이죠. 전쟁이나, 사형을 받거나 하는 극단적으로 궁지에 몰린 인간을 설정하고, 그에 따라 심리를 묘사하죠.

토마토 많은 소설 속에 극심한 고난들은 있잖아요?

가지 그것보다 더 극단으로 치닫는 환경적 고난들이요.

토마토 이해했어요. 고난이 좀 더 확실하고, 누구나 이해되도록 극단적으로 주인공을 괴롭혀야 하는군요.

가지 비슷해요. (웃음)

토마토 제 책에는 〈배교자〉라는 알베르 카뮈의 단편소설이 하나 더 있어요. 다른 분들은 없으시죠?

가지 그럼 그것도 읽으신 거예요?

토마토 속았어요. 처음에는 이어지는 이야기인 줄 알았어요. 그래서 '뫼르소가 사형당하지 않고 고통받게 되는 것으로 이야기가 전개되는구나.' 하며 소설을 읽어나갔죠. 근데 너무 이상한 거예요. '그래서 사형을 안 받나? 갑자기

혁가 잘리고, 신학교에?' 하는 생각이 들며 혼란스러웠어요. 그래서 책이 어렵게 느껴졌던 것 같아요.

가지 어떤 내용이에요?

토마토 어떤 사람이 혁가 잘린 채 신학교에 들어가서 고통받고, 원망하고, 굴복하고, 반항하고 그런 과정인데, 더없이 고통스럽고 굴욕적인 상황들 속에 뼛속 깊이 굴복하는 내용이에요. 너무 혼란스러워서 두 번 읽었는데, 그래도 잘 파악이 안 되네요.

〈이방인〉 그는 왜 총을 쐈을까?

당근 저는 처음에는 뫼로소가 사이코패스 같다는 생각을 했어요. '왜 아무 감정이 없는 거지? 도대체?' 생각했죠. 그런데 시간이 지날수록 좀 내성적인 사람일 수 있겠다는 생각이 들었어요. 자신의 감정 표현이 서투른, 그래서 안쓰러운 생각도 들었어요. 내성적이어서 애인에게도 사랑을 느끼지만, 사랑은 인정하지도, 표현하지 않는 거죠.

토마토 일종의 방어인가요?

당근 그런 것 같았어요. 그리고 굉장히 수동적이죠. 결혼도 마리가 하자는 대로 하고, 레몽에게도 끌려다니고, 그러다 결국 살인까지 하고, 법정에서도 말도 못 하고, 소심하고, 그리고 유일하게 거의 마지막 부분에 사제에게만 한풀이하죠. 뫼르소는 소심한 사람이고, 억울할 것 같았어요. 슬프면서도 이상한 이야기가 맞는 것 같아요.

가지 맞아요. 사제에게 폭발하는 부분이 있죠.

토마토 그럴 수 있겠네요. 문득 당근님 말씀을 듣고 보니, '뫼르소는 왜 이런 사람이 되었을까?' 하는 생각이 드네요. 뫼르소가 세상에 무관심해진 이유가 뭘까요? 왠지 뫼르소가 짠해지네요.

당근 그렇죠.

토마토 저는 총을 쏘는 장면이 잘 이해가 되지 않았는데, 어떤 리뷰를 보니, 태양을 주변 사람들의 시선, 관심이라고 해석하는 걸 봤어요. 당근님 말씀을 들으니, 뫼르소는 세상의 관심이 싫어서 저항하고 싶은 내성적인 사람이 아닐지 생각해 보게 돼요. 책에서는 총을 쏠 때 태양이 어머니 장례식의 태양과 같다고 했거든요. 어머니의 장례식장에서도 뫼르소에게 사람들의 관심이 쏟아졌죠. 세상 사람들의 관심이 싫었던 뫼르소는 저항하는 마음으로 무관심한 태도를 보였고, 총을 쏠 때도 그게 싫어서 방아쇠를 당긴 것 아닐까요? 그래서 사형선고를 받은 후 세상이 그에게 무관심하게 되니, 이제야 반항의 마음을 접고 행복을 느끼며 세상에 마음을 열죠. 그래서 세상의 관심이 다정하게 느껴지고, 사형대에 섰을 때 자신의 자유로움을 보여주고 싶어져서 사람들이 왔으면 좋겠다고 한 것이죠.

고전소설의 매력

브로콜리   저는 고전은 어렵게만 느껴졌는데, 너무 재미있네요. 이렇게 이야기하는 게 더 재미있는 것 같아요. 왜 고전을 읽는지 알 것 같아요. 현대 문학과는 깊이가 다르게 읽히는 것 같아요.

가지   아마 번역을 보통 교수님들이 하시니깐 그러는 것 같아요. 전공책 느낌이 나죠.

당근   맞아요. 정말 전공책 느낌이에요.

토마토   저는 고전소설을 많이 읽지는 못했지만, 참 좋아해요. '이럴 수도 있구나!' 하는 생각이 들며, 사유와 이해의 폭이 넓혀지는 것이 특히 좋아요. 대부분의 고전소설은 '이럴 수도 있어?' 하며 전혀 이해할 수 없는 상황으로 시작해서 확실히 다른 차원의 필력, 카리스마, 에너지로 결국 독자를 이해시켜요. 그게 고전소설의 매력인 것 같아요. 최근에 헤르만 헤세 〈싯다르타〉를 읽었는데, 이것도 정말 좋았어요. 속세를 경험하겠다는 부처의 이름을 한 사문 싯다르타가 노름, 여자, 돈, 자식을 향한 집착까지 경험한 후, 진짜 깨달음을 얻어가는 내용이에요. 특히, 소설 속에서 뱃사공의 강처럼 경청하는 법, 세상을 대하는 법이 나오는데, 이 부분이 저는 참 오래 기억에 남더라고요. 당근님처럼 포용력 있는 여유로운 삶을 살고자 하는 분이라면 읽어보시면 좋을 것 같아요.

〈이방인〉 책수다를 마무리하며

가지   이번 모임은 특히 책을 해석하는 데에 집중할 수 있었던 것 같아요. 소설의 다양한 해석과 깊은 이야기가 정말 재미있었어요.

브로콜리   저도요. 고전을 같이 읽으니 정말 좋네요. 혼자 생각하면 어려운데, 같이 이야기하니, 소설 속에서 상징하는 바나 인물에 대한 이해도가 높아지는 것 같아요.

당근   고전을 읽어봐야 어려운 것을 안다고, 정말 어렵게 읽었는데, 오늘 모임을 하고 나니 이제야 책을 제대로 이해하고 읽은 것 같은 느낌이네요. 각자 해석이 다르고, 그것을 맞춰서 정리해 보니, 어디 가서 정말 이방인 읽었다고 자신 있게 말할 수 있을 것 같아요.

토마토   그게 고전을 읽는 매력이죠. 가지님께서 역사적 배경, 이론들을 알려주셔서 이해하는 데 도움이 많이 되었어요.

지금까지 〈이방인〉 소설이 완전 마음에 든 가지, 뫼르소가 안쓰럽기만 한 당근, 덩달아 뫼르소가 짠해진 토마토, 반니 출판사의 책 표지가 자랑스러운 브로콜리였습니다.

4. 허무해서 더 순수한 눈의 고장으로의 여행

(1) 〈설국〉 토마토의 책 이야기

〈설국〉 줄거리

　무위도식하는 여행자 시마무라는 눈의 고장에서 게이샤를 하는 여인 고마코를 마주합니다. 고마코의 깨끗한 아름다움에 사로잡힌 시마무라는 그녀에게 마음을 빼앗기지만, 자신이 여행자이기에 이를 그저 허무한 일이라 여깁니다. 시마무라는 고마코에게 죽어가는 약혼자 유키오가 있었고, 고마코가 그를 위해 게이샤가 되었음을 알게 되며, 그녀의 헛수고가 순수하게 느껴집니다. 유키오에게는 그를 뜰하게 챙기는 새 애인 요코가 있습니다. 시마무라는 요코의 순수함 또한 아름다움으로 느낍니다. 시마무라는 눈의 고장에서 두 명의 여인과 여행지 분위기 속에서 허무와 열정, 순수함에 빠져듭니다.

〈설국〉 주관적 책 소개

　겨울이 되면 눈이 가득한 배경의 소설을 읽고 싶어집니다. 여름에는 더 여름스러운 소설, 겨울에는 더 겨울스러운 소설이 읽고 싶어집니다. 아마도 그 계절의 감상에 젖으며, 계절만의 정취를 조금 더 만끽하고 싶어서인 듯합니다. 겨울이라는 계절은 따뜻한 것들의 존재감과 영향력이 커지며, 그것들을 더 진하게 느낄 수 있어서 좋습니다. 이런 겨울의 분위기에 조금 더 취하고 싶어 찾은 소설 〈설국〉입니다.

〈설국〉은 노벨문학상 수상 작가 가와바타 야스나리의 소설로 순수한 서정적 세계를 감각적으로 묘사한 작품으로 손꼽히고 있습니다. 특히, 소설의 첫 문장은 시적이며, 우아한 문체로 소설 속 미지의 세계로 독자를 이끌며, 많은 이들에게 사랑받았습니다.

국경의 긴 터널을 빠져나오자, 눈의 고장이었다. 밤의 밑바닥이 하얘졌다. 신호소에 기차가 멈춰 섰다. - P.7

소설 〈설국〉의 첫 번째 감상 포인트는 감정적, 회화적 묘사들입니다. 이는 실제 경험한 것보다 더 섬세한 부분까지 시선이 갈 수 있도록 유도합니다. 그 시선을 따라가다 보면, 여행하는 것 같기도, 시나 그림을 감상하는 것 같기도, 비현실적 공간에 놓인 것 같기도 합니다. 책을 읽을수록 필사하고 싶은 시적인 문장들이 마음을 사로잡습니다. 다채로운 문장 표현에 감탄을 자아내며, 한 문장, 한 문장이 '이렇게 정성스러울 수 있을까….' 하는 생각이 듭니다. 실제로 가와바타는 소설을 쓰며, 자연과 멀어진 것을 반성하고, 관찰과 묘사를 끊임없이 이어갔다고 합니다.

특히 소설이 자연에서 멀어지고 이를 소홀히 한 결과로, 자연을 묘사하고 표현하는데 낡고 구태의연한 단어들만 떠올리게 되었다는 사실을 절감하게 되었다. - P.154 [작품 해설-민음사]

문득 낡고 구태의연한 어휘들로 〈설국〉의 감상을 남기는 것에 부끄러움이 느껴지기도 합니다.

소설의 두 번째 감상 포인트는 유한함으로 가중된 열정, 모든 것이 헛수고라는 허무로 더 깊이 전해지는 순수함에 대한 사유입니다. 소설은 눈의 고장으로 간 무위도식하는 여행자 시마무라가 게이샤 고마코와 순수한 여인 요코라는 두 여인에게 동시에 빠져드는 과정을 그린 소설입니다. 잠시 머물다 가는 여행자와 사람을 만나는 것이 직업인 게이샤의 만남은 끝이 정해진 유한함이기에 더 열정적이고, 그래서 더 허무하고, 또 그래서 순수합니다. 죽음을 앞둔 연인을 향한 지극한 사랑과 희생을 보이는 요코는 연인의 죽음이라는 유한함으로 열정이 짙어지고, 이는 다시 순수함으로 느껴집니다.

겨울의 감성에 젖고 싶어 선택한 〈설국〉은 기대 이상의 낭만과 상상 이상의 사유적 묘미를 전했습니다. 겨울에는 〈설국〉과 함께 일상의 긴 터널을 지나 눈의 고장으로 여행을 떠나보는 것도 좋겠습니다.

(2) 〈설국〉 책수다 이야기

〈설국〉 책수다 모임 일주일 전

토마토 〈설국〉 읽으셨어요? 전 다 읽었는데 지금까지 읽었던 책 중에 가장 이해 안 되는 책이었어요. 줄거리도 파악도 안 되고, 이 책이 왜 그렇게까지 잘 써진 소설로 손꼽히고, 노벨문학상까지 받았는지 정말 모르겠어요.

브로콜리 그 정도예요? 〈설국〉이 불편하다는 분들도 있더라고요.

토마토 저는 이번엔 이야기 할머니 못 해요. 읽고 저 좀 알려주세요. 책수다가 더 기다려지는 책이었습니다.

당근 (웃음) 네~ 열심히 읽어볼게요.

〈설국〉 책에 대한 감상

토마토 오늘도 당근님과 오붓하게 시작하네요. 브로콜리님은 우리 시금치군 잠들면 오시고, 가지님은 개인적인 일정으로 오늘은 함께하지 못하신다고 해요. 책은 어떠셨어요?

당근 토마토님이 왜 그러셨는지 알 것 같아요. 묘사가 대단하다고 하는데, 잘 모르겠어요. 줄거리 파악도 어려워서 '중간에 놓쳐서 이해가 안 되는 건가….' 하면서 앞으로 돌아간 부분도 많았어요.

토마토 제가 왜 그렇게 말했는지 아시겠죠? 인스타그램에 〈설국〉의 맛을 아시는 분 계시면 알려달라고 했는데, 아무도 안 알려주셨어요.

당근 (빵 터짐) 그래요?

토마토 그래서 책을 처음부터 다시 읽어보고, 작품 해설도 정독하고, 책 리뷰도 더 찾아봤더니, 이제는 좀 알 것 같아요.

당근 정말요?

토마토 네. 처음 읽었을 때는 줄거리 파악하는 것에만 급급해서 묘사의 매력을 만끽하지 못한 것 같아요. 그런데 책 표지 뒷부분에도 그렇게 나와 있더라고요.

단순히 줄거리만을 읽어내려 한다면 그 깊이와 맛을 전혀 짐작할 수 없기에 그 어떤 작품보다 정독이 필요한 고전이 바로 〈설국〉이다. - [책 표지, 민음사]

어쩌면 〈설국〉은 재독을 해야 맛을 알 수 있는 책 같아요. 줄거리와 책의 분위기를 어느 정도 파악하고 나서 정독했더니, 〈설국〉의 맛이 보이더라고요. 그리고 많은 분이 느꼈다는 그 묘사의 맛을 알겠어요. '어쩜 이렇게 표현을 할 수 있을까?' 하며, 필사하고 싶어졌어요. 주인공의 심리, 상황, 배경 묘사에서 전혀 어울리지 않을 것 같은 단어들을 조합해서 가장 적합하게 표현하는 것이 경이로웠어요. 예를 들면, 이런 부분이요.

그녀의 말투는 마치 아득한 외국 문학 이야기를 하는 양, 청빈한 거지가 지닌 애처로운 울림을 띠고 있었다. - P.39

경직된 몸이 공중에 떠올라 유연해지고 동시에 인형 같은 무저항, 생명이 사라진 자유로움으로 삶도 죽음도 정지한 듯한 모습이었다. - P.150

청빈하다는 단어는 처음 들어봤어요. '성품이 깨끗하고 재물에 대한 욕심이 없어 가난하다.'라는 뜻이더라고요. '청빈한 거지가 지닌 애처로운 울림'이라니, 어떤 의미인지 너무 알겠더라고요.

당근   정말 그렇네요. '생명이 사라진 자유로움'이라니. '삶도 죽음도 정지한 듯한 모습'이라는 표현도 이 분위기와 에너지가 너무 상상돼요.

토마토 우리는 늘 쓰던 어휘들만 쓰잖아요. 이런 조합들 너무 좋아요.

당근 정말 그래요. 같이 읽어보니, 인상 깊은 문장들이 꽤 있네요.

토마토 특히 작품 첫 문장은 어떤 리뷰에서도 빠지지 않아요.

국경의 긴 터널을 빠져나오자, 눈의 고장이었다. 밤의 밑바닥이 하얘졌다. 신호소에 기차가 멈춰 섰다. - [민음사, 2023년 80쇄]

이 번역은 민음사 출판사인데, 범우사 출판사의 다른 번역과 비교한 블로그 리뷰를 본 적이 있어요.

현경의 긴 터널을 빠져나오면 설국이었다. 밤의 끝자락은 이미 하얘졌다. 신호소에 기차가 멈췄다. - [범우사, 2015년 4쇄]

'국경'을 '현경'이라고 표현한 것은 직역하면 '현경'이 맞지만, 직역체 표현은 한국에서는 몰입을 방해할 것 같아서 '국경'으로 번역한 것 같다고 해요. 그리고 인상적인 것은 두 번째 문장이었어요. 민음사는 '밤의 밑바닥이 하얘졌다.'라고 표현하는데, 범우사는 '밤의 끝자락은 이미 하얘졌다.'라고 표현하죠. 민음사는 공간적 표현을, 범우사는 시간적 표현을 사용한 것 같은데, 직역하면 '밤의 바닥'이 맞다고 해요. 눈이 바닥에서 반사되어 밤중에도 희뿌옇게 보이는 모습을 표현한 것 같다고 하는 분도 있었어요. 이것들은 모두 번역, 해석의 차이이기 때문에 원문을 읽으려는 분들이 계시는 것 같아요. 하지만 번역본을 보며, 이런, 저런 예상을 해 보는 것도 참 재미있는 것 같아요.

〈설국〉 소설이 전하는 메시지

토마토 〈설국〉의 메시지는 결국 '순수'라고 생각해요. '맨몸으로 태어나 맨몸으로 죽는 인간, 삶은 그 자체가 어쩌면 헛수고이고, 허무한 것이다. 결국 남는 것은 인간의 순수한 열정 아닐까?' 하는 생각이 들었어요. 고마코의 열정과 순수함은 결국 시마무라를 빠져들게 해요. 그는 현실에서 벗어나고자 여행하고, 비현실적인 사랑에 대한 동경만으로 그녀를 바라봤었는데, 점점 그녀와 헤어질 때 눈물짓고, 불이 나는 그곳까지 쫓아가며, 그녀를 향해 애절한 고통과 비애를 갖게 되죠. 이렇게 순수한 열정은 남에게 감동을 주고, 변화하게 하는 것 같아요. 저도 헛수고로 여겨지더라도 의미 있는 것에 열정을 가지고 순수하게 살고 싶다고 생각했어요.

〈설국〉 인물의 심리 변화

당근 저는 시마무라는 너무 냉정하고, 고마코는 자신을 너무 다 내보이면서 다가가는 것이 안타까웠어요. 술 마시다가도, 아침에도, 매번 먼저 찾아가는 것이 저에게는 너무 급진적인 감정이라 느껴져 공감이 안 가더라고요. '1년에 한 번 정도 만나는 사이 같은데, 이렇게까지?' 하는 생각이 들었어요.

토마토 〈설국〉을 읽는 재미가 인물의 심리 변화를 천천히 되짚어 보는 데에도 있어요. 특히, 고마코를 향한 시마무라의 심리 변화가 인상적이었어요. 처음 시마무라는 고마코를 현실 세계에 없는 것을 그저 동경 또는 관망하는 것처럼 바라보죠.

시마무라는 자신도 모르게 여자를 서양 무용처럼 다루고 있는지도 몰랐다. - P.26

그러다 점점 그녀의 헛수고들을 보면서 그녀의 순수함과 애처로움을 느끼죠.

그가 알면서도 아예 헛수고라고 못 박아 버리자, 뭔가 그녀의 존재가 오히려 순수하게 느껴졌다. - P.39

그렇게 점점 그녀에게 떠내려가요.

자신은 이제 무력할 뿐, 고마코의 힘에 밀려 속수무책으로 떠내려 가는 것을 기꺼워하며 몸을 던져 떠 있는 수밖에 도리가 없었다. - P.64

나중에는 그녀와의 헤어짐에 눈물이 쏟아질 것 같죠.

시마무라는 왈칵 눈물이 쏟아질 것 같아 자신도 깜짝 놀랐다. - P.78

그리고 결국 불이 나는 그곳까지 따라가서 그녀와의 시간에 고통과 비애를 느끼죠.

일시에 고마코와 함께한 시간들이 환히 비쳐진 것 같았다. 뭔가 애절한 고통과 비애도 여기에 있었다. - P.151

당근 이렇게 전개를 보니, 시마무라 심리 변화가 정말 느껴져요.

토마토 어디까지나 제 느낌이에요. (웃음) 그리고 고마코의 급진적 행동들은 사랑에 빠졌지만, 시마무라는 여행자이고, 자신은 그곳 게이샤이니 마음을 접고 싶은데, 그 마음이 마음 같지 않아 기복이 생기는 것 같아요.

〈설국〉 고마코의 헛수고 찾기

토마토 〈설국〉을 한 단어로 말하면 '헛수고'예요. 그중 최고의 헛수고 왕은 고마코죠.

당근 (빵 터짐) 헛수고 왕!

토마토 고마코가 책을 읽거나, 일기를 쓰거나, 약혼자를 위해 게이샤가 되거나 하는 것들이요.

당근 고마코가 약혼자가 맞아요? 아니라고 하지 않았어요?

토마토 맞아요. 안마사는 약혼자라고 했는데, 본인은 아니라고 했죠. 어쩌면 선생님에 대한 보답이거나, 그를 향한 의리로 게이샤가 되었을 수도 있겠다는 생각도 들었어요.

당근 그럴 수도 있겠네요. 인물이 정말 이해가 안 가서 저는 노트에 인물관계도 그리며 읽었어요. (웃음)

토마토 (웃음) 정말 꼼꼼히 읽으셨네요. 대단하세요.

당근 (웃음) 어려워서 더 열심히 읽었어요. 이렇게 찾아보니 고마코라는 인물의 헛수고는 정말 많네요. 시마무라를 사랑하는 것도, 5년을 만난 사람과 헤어지지 못하는 것도, 요코와 관계를 끊지 않은 것도 정말 헛수고들이네요.

토마토 그렇죠. 어쩌면 요코와 고마코는 전 여자 친구와 현 여자 친구잖아요. 그것도 죽어가는 남자의….

〈설국〉 흰색, 빨간색 찾기

토마토 저는 〈설국〉에서 흰색, 빨간색이 대조를 보이는 포인트들이 어떤 상징 같았어요.

당근 흰색과 빨간색이요? 어떤 상징이요?

토마토 흰색은 순수의 상징이고, 빨간색은 열정의 상징이죠. 결국, 헛수고인 열정이 지극한 순수함을 뜻하는 것 같아서 같은 본질을 가졌다고 여겨졌어요. 마치 고마코라는 본질은 하나인데, 화장 후에는 하얀색의 깨끗한 이미지였다가 화장을 지우면 빨간 얼굴이 도드라지는 것처럼요.

당근 맞아요. 시마무라는 요코와 고마코 둘 다 깨끗하다고 묘사했어요. 그냥 취향인가 보다 했는데, 그런 상징이 있을 수도 있겠네요. 순수.

토마토 소설의 제목이자 배경인 눈은 흰색, 기차에서 불빛에 비친 요코의 깨끗한 얼굴도 빨간색과 흰색이 겹치죠. 마치 하나인 것처럼. 그리고 불 속에서 떨어진 요코도 빨간색과 흰색이죠.

노벨문학상 수상작은 어렵다?

브로콜리 노벨문학상 수상 작가는 뭐가 달라도 다른 것 같은데, 최근 노벨문학상 수상작 욘포세 〈아침 그리고 저녁〉도 많이들 읽으시던데, 정말 어렵게 느껴져요.

토마토 맞아요. 저는 메디치 외국 문학상 수상작 한강 〈작별하지 않는다〉를 읽었었는데, 줄거리 파악부터가 어려워요.

브로콜리 그 책도 많이 보이던데요. 어떤 내용이에요?

토마토 제주 4.3사건을 배경으로 했는데, 사건의 고통을 독자가 최대한 느끼도록 유도하는 느낌이었어요. 사건을 제대로 이해하려면 그 고통을 더 깊이 공감할 필요가 있으니, 고통을 느끼게 하는 것만으로 의미가 있는 것 같아요. 소설은 아픈 과거를 소설로 쓰는 소설가의 고통이 전이되는 것으로 시작돼요. 그리고 그의 친구는 목공을 하다가 손가락이 절단되어, 봉합수술을 했는데, 그 부분의 신경을 살리기 위해 몇 분에 한 번씩 봉합된 부분을 바늘로 찔러서 피를 내야 해요. 생각만으로도 소름 끼치는 고통이 전이되죠. 손가락 하나에도 이런 고통이 느껴지는데 사건 속 주인공들을 얼마나 큰 공포와 고통 속에서 그 말도 안 되는 일들을 감당해야 했을지 그분들의 인터뷰와 묘사 등으로 고통을 전이시키는 소설이에요.

당근 읽는 동안에도 너무 고통스러웠을 것 같아요.

토마토 맞아요. 그래서 도저히 못 읽고 넘어간 부분도 있어요. 하지만 그 참혹함을 조금이라도 공감하고, 그 심각성이 와닿으려면 그런 고통을 느끼는 것이 맞는 것 같아요.

브로콜리 한강 〈소년이 온다〉도 읽어보셨어요?

토마토 그 소설은 못 읽고 한강 〈채식주의자〉는 읽었어요. 그 책을 읽고 한동안 강제로 채식하게 되었죠. 폭력성과 잔혹성을 다시금 생각해 본 책이었어요.

〈설국〉 책수다를 마무리하며

당근 설국은 꽤 난이도 있는 고전이었는데 토마토님이 해설자처럼 설명해 주셔서 이제 제대로 읽은 느낌이에요. 브로콜리님이 찾아주신 해설도 함께 보면서 이 소설에 대해 제대로 이해했어요.

토마토 오늘이 우리 채소사총사 책수다 1기 마지막 시간입니다. 우리 채소사총사 고생하셔서 상장을 준비했어요. (상장 수여) 각자 책수다를 함께한 소감을 들어볼까요?

브로콜리 책을 수다로 완성 시킬 수 있어 너무 행복했습니다.

당근 처음 채소사총사를 만난 것부터 행운이었어요. 잘 표현하지 않았던 제가 용기 내서 도전하듯 시작했지만, 너무 편하게 대해주시던 토마토님, 의외로 비슷한 구석이 많았던 브로콜리님, 매주 웃겨주시고 많이 알려주시던 가지님 덕분에 알찬 시간이었고, 한층 더 성장할 수 있었어요.

가지 (갑자기 가지 등장!) 번아웃을 겪고 있었는데 책수다 모임 제안해 주셔서 생활에 활력소가 되었어요. 부담 없이 할 수 있도록 분위기도 만들어 주시고 대화도 이끌어주셔서 너무 감사했습니다. 이런 기회 또 있었으면 좋겠네요!

지금까지 헛수고 마니아 토마토, 공감 마니아 당근, 성장 마니아 브로콜리, 멀리서 책수다를 그리워하는 가지였습니다.

[네 번째 인터뷰] 채소사총사의 꿈

1. 토마토

Q. 꿈이 뭐예요?

A. 제 꿈은 상담하는 동네 책방, 꿈을 이루는 독립출판사를 차리는 것입니다. 정말 필요한 사람들에게 가까운 곳에서 다양한 상담을 하고, 책과 글을 통해 내 삶을 더 사랑하며, 즐겁게 살아가도록 돕고 싶어요. 책방이자 출판사이자 상담소인 제 브랜드로 저 자신과 저와 함께하는 사람들의 꿈을 향한 여정에 든든한 파트너가 되어주고 싶어요.

그리고 제가 광주에 사는데, 광주에 독서 대전, 북 콘서트 등 책과 관련된 다양한 행사를 운영하고 싶어요. 그렇게 책 읽는 도시 광주를 만들고, 점점 더 많은 사람이 일상처럼 책을 읽게 하고 싶어요. 나중에는 책과 관련된 다양한 노력을 지속한 사람으로 '유퀴즈'에 출연하는 것이 지금 제 꿈이에요.

2. 당근

Q. 꿈이 뭐예요?

A. 저를 포함 수많은 사람이 스스로를 솔직하게 표현하지 못하고 그저 관계 중심의 삶을 살아가는 것 같아요. 그렇게 나를 잃어버린 사람들에게 나다운 삶을 살면서도 좋은 관계들을 이어나갈 수 있도록 타인과 나 사이의 균형을 잡을 수 있게 도와주는 게 제 꿈이에요.

올해는 인스타그램에서 인간관계에 관한 이야기들을 나눠 영향력을 키우고 타인과 나 사이의 균형을 잡도록 마음을 단단하게 키우는 독서 모임도 오픈할 예정이에요. 그리고 틈틈이 에세이와 소설도 써서 투고해 볼 예정이에요. 지혜와 위로를 주는 작가로 시작해 결국은 수많은 사람에게 깨달음과 용기를 주는 강연가가 되는 게 꿈이에요.

3. 브로콜리

Q. 꿈이 뭐예요?

A. 작년 초까지만 해도 꿈을 언제 마지막으로 꿨는지 생각나지 않았어요. 아무리 꿈을 꿔도 희망이 없으니 그 꿈은 무용지물이 되어버리더라고요. 꿈을 지워버렸다는 표현이 더 적절할 것 같아요. 원래 꿈은 제 삶의 원동력이고 촉진제였는데, 오히려 그때는 독이 되었습니다. 그래서 육아하는 약 2년 동안 꿈 없이, 나를 잃고 엄마로만 지냈습니다. 그렇게 지내던 어느 날, 우연히 시작한 책 읽기로 다시 꿈을 떠올리게 되었어요.

저는 동기부여가가 되고 싶습니다. 아직은 저에게 전문적인 재능과 능력도 없고 오직 할 이야기는 제가 살아온 과정과 이후 살아가는 과정뿐이지만, 그것이 누군가와 함께 나눌 수 있는 이야기가 될 수 있다면 충분히 나누고 함께 생각하고, 이야기하고 싶다는 생각을 매일 합니다.

4. 가지

Q. 꿈이 뭐예요?

A. 지금 제 꿈은 작가입니다. 소설가와 번역가를 동시에 하면서 강연도 해 보고 싶어요. 저는 자유로움을 추구하는 사람인데, 어느 직장에 소속되기보다는 혼자서 마음대로 할 수 있는 일을 하고 싶어요. 언어는 프랑스어를 해 보고 싶어요. 언젠가는 불어불문학과 문예 창작을 전공해 보고 싶습니다.

취미로는 다양한 언어를 배워, 언어학자의 자아를 일깨우고, 세계 역사를 공부하면서 역사학자의 욕구를 충족시키고 싶어요. 너무 이상적인가요? 그래도 조금씩 꿈을 향해 나아가고 있다고 믿고 싶어요.

이토록 다정한 독서모임
채소사총사의 책수다

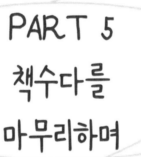

PART 5
책수다를
마무리하며

Part 5. 책수다를 마무리하며

1. 책과 사람으로 안전지대를 쌓은 토마토

　독서 모임의 형태는 다양합니다. 실시간 화상 모임, 오프라인 모임, 단체 채팅방 모임, 온라인 카페 모임 등 다양한 방식으로 운영이 되고 있습니다. 책 선정 방식도 다양합니다. 모임 지기가 책을 선정하기도 하고, 구성원들이 돌아가면서 추천하기도 하고, 한 작가 책 몰아보기, 주제를 정해서 책을 선정해 와서 소개하기도 합니다. 그림책 읽기나 미술책 읽기, 명사들의 추천 도서 읽기, 영화나 드라마 원작 도서 읽기 등 재미있는 주제들이 많습니다. 거기에 단순히 책을 읽는 것에 그치지 않고, 필사나 낭독, 글쓰기, 실천 모임까지 무궁무진하게 변신이 가능한 것이 바로 독서 모임입니다. 한 번도 안 한 사람은 있어도 한 번만 한 사람은 없다는 독서 모임의 매력은 역시 좋은 책과 좋은 사람에게 있는 것 같습니다.

　채소사총사의 책수다 모임은 카페에서 친구와 수다를 떠는데, 그저 테이블 위에 책이 한 권 놓여있는 상황과 같습니다. 이야기하다가 문득 책에 눈길이 가서 책 이야기를 했다가, 갑자기 생각 난 일상 이야기를 하다가, 다시 책을 보며 떠오른 생각을 나누듯, 책을 곁에 둔 채 자연스럽게 수다를 이어갔습니다. 책수다는 어느새 우리의 일상으로 들어왔습니다. 책을 읽지 않으면, 읽지 않은 대로 함께 했고, 시간이 맞지 않으면, 이동 중인 지하철 안에서 모임에 참여했습니다. 아이가 잠들지 않으면, 아이와 함께하고, 아이가 장난을 치면 장난을 치는 대로 모임 속으로 녹아들었습니다. 그리고 우리는 책 이상의 것들을 이야기했습니다. 특히, 어디에서도 하기 힘든 주제들이 오고 가며, 우리의 대화는 삶에 스며들었습니다.

"좋은 어른이란 어떤 어른일까요?"
"어떤 삶을 살고 싶어요?"

쉽게 할 수도 없고, 진지한 답변을 듣기도 어려운 질문이었습니다. 하지만 매번 우리는 진지하게 물었고, 정성스럽게 답해왔습니다. 그 속에서 우리는 자신의 꿈과 삶의 방향을 찾아 나갔고, 자신을 재정비하여 세상으로 뛰어들 수 있었습니다. 모임을 하며 우리는 자주 이런 말을 했습니다. '이곳은 안전지대'라고. 어떤 질문을 하고, 어떤 대답을 해도 될 것 같다고. 좋은 책과 좋은 사람과 함께 할 수 있으니, 이곳은 분명 안전지대였습니다. 기꺼이 함께 든든한 안전지대를 세워준 채소사총사에게 진심으로 감사의 마음을 전합니다. 더불어 늦은 밤 책수다로 소란스러움에도 넓은 마음으로 지지해 준 최정화, 최아인님 진심으로 감사합니다.

2. 책과 사람으로 삶의 방향성을 얻은 당근

처음 책수다 참여를 결정했을 때의 기대감 그대로 가벼우면서도 묵직한 이야기들을 나눌 수 있어서 정말 좋았습니다. 가볍게 추천한 책으로 즐겁게 읽을 수 있어서 좋고, 책을 다 읽지 않아도 부담 없이 참여할 수 있어서 더 좋았던 독서 모임이었어요.

저는 주로 샀는데 읽지 않고 책장에 꽂아둔 책 중 쉽게 읽히거나 힐링이 될 것 같은 책 위주로 골라 추천했어요. 다행히 멤버들이 제가 추천한 책들을 좋아해 주셔서 왠지 덩달아 기분도 좋고 뿌듯했답니다. 같은 책을 읽어도 우리는 각자의 경험에 따라 좋아하는 내용이 조금씩 다르면서도 또 비슷했어요. 한 권의 책을 4명의 시각으로 본다는 건 '어쩌면 같은 책을 4번 읽은 느낌이 아닐까' 하는 생각이 들더라고요.

저는 특히 고전소설 쪽은 어려워 혼자서는 잘 안 읽었었는데 책수다 모임에서 4권의 유명한 고전소설을 접할 수 있었습니다. 같은 소설이지만 각자 다른 출판사의 책을 읽어 다른 번역과 책의 구성을 비교해 보는 것도 신선했고, 또 이해 가지 않았던 내용을 함께 이야기하며 풀어가는 재미도 있었어요. 혼자서 읽을 땐 그저 글씨만 읽었다면 책수다를 통해 소설을 제대로 깊게 읽은 느낌을 받을 수 있었어요.

이렇게 점점 편한 분위기 속에서 더 깊은 대화들을 나누다 보니 뭔가 친한 친구 4명이 수다 떠는 느낌이었어요. 가끔 토마토님이 던져주시는 묵직한 질문들에 답하면서 저에 대해 더 많이 생각해 볼 수도 있었고, 다른 질문들에 모두 한결같이 대답하는 저의 모습도 발견할 수 있었어요.

책수다 모임 덕분에 제가 어떤 방향으로 나아가고 싶은지 어렴풋이 알게 되기도 했고, 책을 읽고 '나도 남들 앞에서 이야기할 수 있구나.' 하는 자신감도 얻을 수 있었어요. 언제나 집중해서 이야기를 들어주시는 멤버들 덕분에 저도 다른 분들의 이야길 더 집중해서 듣게 되었습니다. 또 흐르듯 이야기한 것들도 모두 모아 잘 정리해서 피드와 블로그에 올려주신 토마토님 덕분에 제가 어떤 이야기를 했는지, 우리가 어떤 대화들을 나눴는지 한 번 더 확인해 볼 수 있는 것도 좋더라고요! 그 덕분에 이렇게 책으로도 나오게 된 거 아니겠어요?

우연히 초대받아 참여하게 된 책수다에서 친구도 얻고, 삶의 방향성도 얻고, 자신감, 자존감도 얻고, 정말 많은 것을 얻을 수 있었습니다. 언젠가는 저도 책수다처럼 가볍고 즐겁고 따뜻한 독서 모임을 운영해 보고 싶다는 생각도 하는 요즘이랍니다. 밤늦은 책수다 모임도 집필 작업도 열심히 응원해준 우리 남편 그리고 다정한 채소사총사~! 정말 고마워요!

3. 책을 넘어서 서로를 만난 브로콜리

책을 읽을 수 있다는 것은 정말 많은 행복을 만들어 줍니다. 책을 읽는 것은 다양한 지식을 내 안에 담아내는 것입니다. 책을 읽고 끝내기만 하면 결국 남는 게 많이 없습니다. 저는 주로 콘텐츠로 만들면서 아웃풋을 만들었습니다. 최근에는 책으로 콘텐츠를 만들지 않으면서 책이 서서히 휘발되는 느낌이었습니다. 잘 맞는 기록법도 찾지 못해서 여전히 사라지는 책의 기억들이 불안하고 아쉬웠습니다. 그러던 와중 생각을 조금 바꾸게 되었습니다. 꼭 쓰지 않아도 되지 않을까?

책수다 모임을 하고 나서 분명하게 알게 된 책을 기억하기 좋은 방법은 책을 읽고 생각을 나누는 것이었습니다. 책을 읽고 다른 사람과 생각을 나누면 책의 내용은 배로 깊어집니다. 책을 읽지 않고 모임에 참석하더라도 책을 읽은 것 같은 느낌이 들 정도로 책을 이해할 수 있었습니다. 모임 중에 가장 많이 했던 말 중 하나가 '이렇게 모임을 해야 책을 제대로 읽었다고 할 수 있다.'였습니다.

육아하면서 독서 모임에 참여하는 것은 사실 쉽지 않았습니다. 실제로 독서 모임 시간에 아이가 자지 않아서 늦게 참석하거나 아예 참석하지 못한 적도 있었고, 책을 읽지 못한 적도 많았습니다. 하지만 모임의 취지에 맞게 우리는 책으로 수다를 떨었습니다. 서로의 근황과 좋아하는 것을 궁금해했습니다. 이야기를 들어주고 공감했고, 고민을 나누고 함께 방법을 찾았습니다. 책을 넘어서 진짜 사람을 만나게 된 것입니다.

여러 개의 독서 모임을 통해 알게 된 것은 확실합니다. 독서는 깊이가 정해져 있지 않다는 것. 서로 다른 삶의 경험에서 서로 다르게 생각하고 느낄 뿐, 그것의 깊이는 누구도 정할 수 없었습니다.

24시간 가정 보육을 하면서 책을 읽고 나만의 성과를 만들 수 있었던 것은 열심히 노력하고 있는 나, 나의 육아에 함께 해주는 아들, 나를 이해해 주는 남편, 그리고 함께 책을 읽고 생각을 나누는 책 친구들이 있어서 가능했던 것 같습니다. 저는 계속 책을 읽을 것입니다. 이 모임이 아니더라도 누군가와 책 수다를 계속 이어 나가지 않을까요? 사랑하는 책 친구들이 많아졌으면 하는 생각이 듭니다.

4. 권태기로 시작해서 마음을 얻은 가지

　이번 책수다를 통해서 저는 장르 불문 많은 책을 읽었습니다. 그중 다 읽은 책도 있고 읽다 만 책도 있지만 책수다를 통해서 이야기도 했고 내용도 다 알아버렸기 때문에 다 읽은 것으로 하고 싶어요.

　책수다는 부담이 없어서 좋았어요. 발제나 질문거리를 미리 생각해 와야 하는 다른 독서 모임과는 달리 책을 읽어오는 것 이외에 아무런 준비를 안 해도 되어서 가볍게 참여할 수 있었어요. 정적이 흘러도 그저 웃고 마는 책수다가 너무 편하고 좋았습니다.

　저는 이런 가벼움이 필요했던 것 같아요. 북스타그램을 하다 보면 매일매일 무언가를 읽고 글을 올려야 하고, 거기에 일상적인 일들도 잘 안 풀리고 하니, 모든 것을 던져버리고 싶은 날들이 이어졌습니다. 그런 저를 이 책수다 모임으로 살살 달래가며 어루만지니 조금씩 앞으로 나아가고 있는 기분이 들었습니다.

　앞으로도 저는 권태기 혹은 번아웃을 많이 겪을 것 같아요. 언제나 목표를 정해서 살아가는 성격이기 때문에 그 목표를 해내려다 지치기도 하겠죠. 하지만 그때마다 낙담하고 좌절하기보다 책수다 모임처럼 저 자신을 살살 어루만져 줄 거예요.

네가 산들바람이 되어 내 곁에 올 때가 되었다고 느껴지는 그런 순간이 간혹 찾아온다. 그럼 난 이 자리에서 널 기다려.

오랜만에 만나 저녁을 먹고 산책하는 동안 오래도록 하지 못한 이야기를 나눴다. 넌 살아갈 이유를 찾으며 노력하는 모든 것들이 기특하다 했지. 모든 걸 사랑스럽게 바라보려는 널 보면서 나도 너만큼이나 아름답게 살고 싶어진다.

앞으로 네가 넘어갈 고비들을 너답게 잘 넘어가길 기도할게. 사랑스러움을 잃지 않고서 함께 나이 먹어 가고 싶다. 우리 그렇게 함께 나아가자.
- 단춤 〈이달의 마음〉

앞으로 올 고비들을 지혜롭게 넘어가기를 기원하며 후기를 마칩니다.

[채소사총사는 누구일까요?] 채소사총사 상장

토마토는? 당근은? 브로콜리는? 가지는?

Book&Talk 01-2403

매력 끝판왕상

노란코끼리

위 사람은 특유의 유머와 유쾌함, 깊이 있는 지식과 생각들로 책수다모임을 풍성하게 만들고, 채소사총사 책수다 1기를 우수한 성과를 내며 완료하였습니다. 솔직하면서도 유연하게 감정을 표현하고, 진지한 자세로 나와 삶에 대해 성찰해 나가는 귀하의 태도는 이미 그 자체로 함께 살아간다는 것의 매력을 한층 끌어올려주었기에 감동의 마음을 담아 이 상을 수여합니다.

완벽한오늘

채소사총사 책수다

Book&Talk 01-2401

빛나는 어른상

데이지

위 사람은 특유의 따뜻함과 성실함, 포용력있는 품성으로 책수다모임의 온기를 가득 채우는 데에 기여하며, 채소사총사 책수다 1기를 우수한 성과로 완주하였습니다. 작은 일에도 정성을 다하는 태도로 임하며, 삶의 여유와 행복을 일깨워주는 귀하의 모습은 이미 그 자체로 세상을 빛나게 하고 있기에 감동의 마음을 담아 이 상을 수여합니다.

완벽한오늘

채소사총사 책수다

Book&Talk 01-2404

성실한 독서가상

완벽한오늘

위 사람은 12회의 모임에서 성실하게 모든 책을 완독하였으며, 누구보다 깊고 지혜롭게 이야기를 나누었습니다. 성실한 독서 덕분에 책수다모임의 취지에 맞게 멤버들이 아무런 준비를 하지 않아도 참여할 수 있도록 모임을 이끌었습니다. 모임이 편안하고 즐겁게 유지될 수 있도록 애써주셨음에 감사한 마음을 담아 이 상을 수여합니다.

채소즈

채소사총사 책수다

Book&Talk 01-2402

장한 어른상

미너프

위 사람은 엄마이자 아내로서, 프로자기계발러로서 다양한 역할을 책임감있게 수행하는 와중에도 채소사총사 책수다 1기 또한 우수한 성과를 내며 완주하였습니다. 본질을 잃지 않고, 최선을 다해 현명한 판단을 내리며, 그것을 옳게 만들어가는 귀하의 모습은 이미 그 자체로 세상을 밝게 비추고 있기에 감동의 마음을 담아 이 상을 수여합니다.

완벽한오늘

채소사총사 책수다

독서모임 선정 도서

1. 모든 계절이 유서였다, 안리타(홀로씨의 테이블, 2018)

2. 작은 기쁨 채집 생활, 김혜원(인디고, 2020)

3. 이달의 마음, 단춤(세미콜론, 2023)

4. 하고 싶은 대로 살아도 괜찮아, 윤정은(애플북스, 2018)

5. 유년기를 극복하는 법, 인생학교(오렌지D, 2023)

6. 진짜 행복을 찾고 싶은 너에게, 변진서(부크럼, 2023)

7. 두려움을 이기는 습관, 나폴레온 힐(니들북, 2022)

8. 지금, 여기를 놓친 채 그때, 거기를 말한들, 가랑비메이커
   (문장과 장면들, 2020)

9. 달과 6펜스, 서머싯 몸(민음사, 2000)

10. 나의 라임오렌지나무, J.M.바스콘셀로스(동녘, 2003)

11. 이방인, 알베르 카뮈(민음사, 2019)

12. 설국, 가와바타 야스나리(민음사, 2002)

책 속의 책

책 속의 책

이토록 다정한 독서모임(채소사총사의 책수다)

발 행 | 2024년 3월 31일

지은이 | 완벽한오늘, 데이지, 미너프, 노란코끼리

기획·편집 | 완벽한오늘, 데이지, 미너프, 노란코끼리

펴낸곳 | 리더인컴퍼니

가 격 | 16,600원

출판등록 | 2023-000016호

책 출간 문의 | leedain.leader.in@gmail.com

저자에게 문의 | Qkddf@naver.com

ISBN | 979-11-93730-01-0